	DATE DUE	

RÉUSSIR
DANS LA VIE

TESTS PSYCHOLOGIQUES

TARA DEPRÉ - PAULE PEREZ

ISBN : 2-7242-4279-3
N° Editeur : 14 710

AVANT-PROPOS

Le Rocher, la Source et le Caneton

Un jour, la Source dit au Rocher :
D'être si inutile, n'es-tu pas fatigué
Qui te rend si hardi à entraver ma course ?
Le Caneton survient et répond à la Source :
Il est de mon repos, le perchoir préféré.
Pour apprécier la vie, il faut bien s'arrêter !
Source, tu tariras, intervint le Rocher,
Que ta vie est fragile, toi le bel emplumé,
Je vous regretterai, car vous me distrayez
Grâce à moi, vous vivrez de toute éternité.

Moralité
Du bout de sa lorgnette, chacun juge les autres,
Sans se juger soi-même et se croit bon apôtre
Tant son comportement lui paraît naturel
Sans savoir cependant ce qu'il est au réel.

Pardon Monsieur de La Fontaine !

Mais tel est bien en effet le paradoxe de l'être humain. Incapable de se connaître par lui-même et ne trouvant son identité qu'en se situant par rapport aux autres, il se prend cependant pour étalon de base dans les appréciations, pour ne pas dire les jugements qu'il porte sur ceux qu'il côtoie.

Un homme qui vivrait depuis toujours dans l'isolement complet, ne pourrait en aucun cas se connaître, car il ignorerait la multitude des « possibles » et il serait dans l'incapacité de penser que l'on pût avoir d'autres réactions que les siennes.

Plus important encore, l'homme se connaît si mal qu'il ne peut jamais imaginer quelle serait son attitude dans une situation extrême qui ne s'apparenterait pas, de près ou de loin, à une expérience déjà vécue. Ce n'est que par la répétition de mises en situation et de ses différentes réactions que l'être humain arrive progressivement à déterminer certaines de ses grandes tendances.

Et encore se trompe-t-il souvent ! Ne vous est-il jamais arrivé de vous dire : « Tiens, je n'aurais jamais cru pouvoir agir ainsi » ; ou encore : « C'est curieux, je pensais qu'un tel événement me toucherait plus (ou moins). »

Tel est surtout le cas lorsque vous êtes pris à l'improviste sans avoir eu le temps de réfléchir réellement.

Cette difficulté à bien vous cerner a parfois des conséquences graves, notamment lorsqu'il s'agit de prendre une décision d'importance sur le plan personnel ou sur le plan professionnel. Elle est à l'origine de bien des angoisses, bien des dépressions. Sans aller jusque-là, elle génère souvent ce « mal dans sa peau » si pénible à vivre et entraîne un gâchis de notre potentiel, puisqu'il est établi que nous n'utilisons qu'environ 10 % de nos capacités !

Imaginons que vous ayez la possibilité de vivre et d'assimiler en quelques heures les expériences multiples qui s'étalent normalement sur dix, vingt ou trente ans et que ces expériences tiennent compte des trois éléments indispensables que nous avons vus :

1. Les autres,
2. Les mises en situation,
3. Une réaction à l'improviste.

Quel extraordinaire potentiel vous pourriez découvrir et quelle efficacité vous pourriez en attendre ! C'est exactement ce que vous allez vivre avec nous page après page, domaine après domaine, et nous analyserons ensemble au fur et à mesure l'importance de vos découvertes sur vous-même.

Bien entendu, à vous de respecter les règles du jeu ! Votre réponse spontanée, directe, immédiate est un des trois facteurs indispensables de la réussite. C'est le seul préalable que nous vous demandons : accepter d'être pris par surprise.

Suggestion :
Et si vous vous amusiez à refaire tous les tests en imaginant que vous êtes un autre : un collègue, un confrère, une relation...
Vous pourriez même, ensuite, confronter vos réponses avec celles de la personne. Intéressant, non ? Et instructif !

Note des auteurs
Nous déclinons toute responsabilité en cas de rupture de négociations, de « guerre froide » dans votre société, de scission au sein de votre association ou de mouvement séparatiste dans votre parti.

DÉTERMINEZ VOTRE FONCTIONNEMENT INTÉRIEUR

Repérez et identifiez vos structures mentales. C'est essentiel. Il est important en effet que vous connaissiez les aspects les plus déterminants de votre personnalité. Ceux qui sont les plus liés à votre tempérament de base. Ceux qui vous distinguent des autres — et qui par conséquent sont à l'origine de vos choix fondamentaux, que ceux-ci soient conscients ou inconscients, comme celui de vos partenaires sexuels, par exemple.

Cette première partie vous apporte le moyen de bien vous situer d'abord par rapport à vous-même. Vous y découvrirez :

1. La forme de votre intelligence. Par laquelle de ces quatre approches majeures vous réagissez : intuition, instinct, analyse, logique.

2. La matière sur laquelle s'élaborent vos sensations et, ce que l'on pourrait appeler, votre production symbolique. En fait, quel est l'élément prédominant dans les innombrables images qui naissent de votre sensibilité : air, terre, feu, eau.

3. La tendance pathologique qui serait la vôtre si vous étiez accablé d'une overdose de problèmes, ou si un traumatisme devait vous arriver. Votre état-limite irait-il alors plutôt vers : la dépression, l'obsession, la paranoïa, l'hystérie, la schizophrénie ?

4. Votre manière d'aborder votre sexualité. Êtes-vous un passionné ou bien recherchez-vous plutôt une complicité de cœur et d'esprit ?

1. VOTRE FORME D'INTELLIGENCE

Une forme d'intelligence précise prédomine en chacun de nous. Elle définit la manière dont nous recevons les informations de l'extérieur et nos modes de réponses à ces multiples stimulations. En découvrant ici votre carte majeure, vous pourrez :

— Affirmer vos aptitudes dans votre vie sociale sans craindre de vous tromper ;

— Apprendre que vous vous connaissiez moins que vous ne le pensiez ;

— Corriger éventuellement vos points faibles ;

— Et, dans certains cas peut-être, changer carrément d'orientation, si vous vous apercevez que vous avez de tout autres qualités que celles requises dans votre activité actuelle.

Laquelle de ces quatre instances vous régit :

- — intuition,
- — analyse,
- — instinct,
- — logique.

Répondez aux questions le plus vite possible. Et rappelez-vous : il ne faut pas trop réfléchir pour que les tests soient efficaces.

VOTRE RÉFLEXION FACE À L'INSTINCT : TEST

1. Selon vous, une personne intelligente se juge à :
- ☐ a - ses qualités d'abstraction,
- ☐ b - son sens inné des situations,
- ☐ c - sa sensibilité.

2. Vous cherchez un nouveau logement. Quel est votre premier critère d'appréciation (mis à part le prix) :
- ☐ a - les qualités pratiques (emplacement, proximité des boutiques, etc.),
- ☐ b - le charme général (atmosphère, couleur, ambiance, etc.),
- ☐ c - l'impression que vous avez ressentie dans ce lieu la première fois que vous l'avez visité.

3. Un début d'incendie se déclare dans votre salle de bains. Que faites-vous ?
- ☐ a - vous appelez les pompiers,
- ☐ b - vous trouvez un moyen pour maîtriser le feu,
- ☐ c - vous courez chercher quelqu'un ou un voisin.

4. Vous êtes certain d'agir surtout :
- ☐ a - en fonction de vos sentiments,
- ☐ b - en fonction de vos idées,
- ☐ c - en fonction de votre intuition.

5. Quand vous vous promenez seul en forêt, qu'avez-vous tendance à faire :

- ☐ a - vous vous dirigez sans problème et sans y penser,
- ☐ b - vous vous perdez la plupart du temps,
- ☐ c - vous prenez des repères pour ne pas vous perdre.

6. Vous devez parler en public, que se passe-t-il ?

- ☐ a - vous faites attention au timbre de votre voix,
- ☐ b - vous sentez que vous mobilisez l'espace avec vos gestes, vos mouvements,
- ☐ c - vous vous attachez surtout à bien développer vos idées.

Ce test est très important. Il demande des analyses de réponses particulièrement fines.

Aussi, après chacun des 4 questionnaires qu'il comporte, vous remplirez une grille comme celle qui suit. Elle consiste à répartir vos réponses dans 3 colonnes. Les interprétations qui vous sont fournies tiennent compte, non pas d'un seul, mais de deux critères dans vos réponses, et ce, afin de vous donner une connaissance encore plus précise de vous-même.

Ainsi, vous consulterez les réponses de la façon suivante : vous déterminerez dans quelle colonne se situe le plus grand nombre de vos réponses, et la colonne qui vient juste après. Par exemple : si vous avez 3 réponses dans la colonne I, 2 réponses dans la colonne 3 et 1 réponse dans la colonne 2, vous êtes du type I, III.

Autre exemple : si vous avez 3 réponses dans la colonne II, 2 réponses dans la colonne III et une dans la colonne I, vous êtes du type II, III.

Vous appliquerez le même « calcul » tout au long de ce test portant sur la forme d'intelligence. Il est capital.

Pour les autres tests, le calcul vous sera expliqué ultérieurement.

Vous pouvez maintenant calculer vos résultats dans les colonnes suivantes :

	I	II	III
1	b	c	a
2	c	a	b
3	b	a	c
4	a	c	b
5	a	c	b
6	b	a	c

VOS RÉSULTATS

Si vous êtes du type I, II :

Le domaine de l'instinct est le vôtre, le saviez-vous ? Peut-être pas, car vous n'êtes pas du genre à vous prendre la tête entre les mains pour vous analyser. Vous préférez l'action. L'impulsion créatrice. Comme Picasso, vous pourriez dire : « Je ne cherche pas, je trouve ». Vous êtes plus du genre battant que du style intello.

Si vous êtes du type I, III :

Très paradoxal, comme résultat. Vous êtes à la fois bourré d'instinct et perplexe quant à la façon de vous en servir. Quand l'instinct se montre, vous vous empressez d'utiliser votre intelligence rationnelle. Et vice versa. Pas très pratique, mais quand même efficace car il vous arrive aussi de jouer sur les deux tableaux : intuition et instinct.

Si vous êtes du type II, I :

Aucun doute possible : votre intelligence se base sur une bonne harmonie entre l'instinct et la réflexion. L'impulsion pure et dure, ce n'est pas votre rayon. Il vous arrive de penser : « La logique me sauve de l'ennui », comme Conan Doyle. Vous équilibrez remarquablement bien votre instinct... en l'analysant.

Si vous êtes du type II, III :

Vous êtes très raisonnable, mais oui ! Pas du tout le genre à extravaguer. De la rigueur, de la logique, voilà ce que demande votre intelligence. Les conclusions hâtives et les théories fumeuses vous font fuir. L'instinct, l'intuition ? Connais pas... ou plutôt vous préférez ne pas vous y fier. A vous les analyses exhaustives et les polémiques acerbes inspirées.

Si vous êtes du type III, I :

Comme Paul Valéry vous pensez qu'il faut « juger à froid et agir à chaud ». Votre forme d'intelligence est surtout marquée par une extrême lucidité. En un instant, vous avez analysé une situation ou jugé une personne. A froid, et avec quelle acuité ! A partir de là, et de là seulement, vous décidez – ou non – de passer à l'action.

19

Si vous êtes du type III, II :

Au niveau de l'instinct... ce n'est pas vraiment çà !
Quelque part, votre instinct existe, mais où ? Vous
vous en fichez d'ailleurs éperdument car vous avez
bien d'autres moyens intelligents pour fonctionner :
la logique, le sens pratique, la faculté d'abstraction
sont vos chevaux de bataille. Pour vous, « l'esprit
triomphera toujours sur la matière ».

En cas d'égalité dans les colonnes, vos réponses
peuvent se répartir comme suit :

— **3-3 :** personnalité très forte, marquée par le paradoxe. Reportez-vous aux deux résultats possibles,
comme si l'une de vos deux colonnes était dominante.

— **2-2-2 :** personnalité très équilibrée, mélange subtil
d'instinct, de réflexion et de sens pratique.

VOTRE FORME DE CURIOSITÉ
INTELLECTUELLE : TEST

1. Que pensez-vous de la phrase : « Toute décision vient d'une réflexion préliminaire » ?

☐ a - vous êtes d'accord,
☐ b - vous n'êtes pas d'accord,
☐ c - vous pensez que c'est plus compliqué que cela.

2. Quand, autour de vous, plusieurs personnes parlent à la fois :

☐ a - vous êtes agacé,
☐ b - cela ne vous dérange pas particulièrement,
☐ c - de toute façon, vous en faites autant.

3. Le domaine culturel (lecture, théâtre, cinéma, informations, philosophie) tient dans votre vie :

☐ a - une place très limitée,
☐ b - une place essentielle,
☐ c - une place accessoire.

4. Votre patron vous donne des informations contradictoires. Que faites-vous ?

☐ a - vous souffrez en silence,
☐ b - vous lui demandez plus ample explication,
☐ c - vous parvenez à les rassembler pour leur donner une cohérence.

5. Votre réaction envers les ordinateurs domestiques :

☐ a - vous adorez et vous savez les faire fonctionner,
☐ b - vous êtes hyper méfiant,
☐ c - vous n'avez aucune envie de vous en servir.

6. Vous pensez qu'on peut toujours se sortir des situations difficiles par le raisonnement :

☐ a - oui absolument,
☐ b - cela peut arriver,
☐ c - non, pas du tout.

Stop. Maintenant calculez vos résultats dans les colonnes suivantes :

	I	II	III
1	c	b	a
2	a	b	c
3	b	c	a
4	c	b	a
5	a	b	c
6	a	b	c

VOS RÉSULTATS

Si vous êtes du type I, II :

Votre curiosité intellectuelle est sans limites. Apprendre, toujours apprendre, vous informer aussi. Vous êtes doué d'une intelligence très vive, qui, en plus, s'adapte facilement aux multiples situations. Vous contestez facilement les idées reçues. Ce qui est chez vous une preuve de clairvoyance.

Si vous êtes du type I, III :

Vous attachez beaucoup d'importance à l'aspect intellectuel des choses. Ce qui prédomine dans votre intelligence, c'est votre faculté de raisonner et de synthétiser. Votre rapidité et votre efficacité dans ce domaine sont très vives. A tel point que vous trouvez toujours les autres trop lents. Sachez que tout le monde n'est pas aussi doué que vous.

Si vous êtes du type II, I :

La réflexion tient une grande place dans votre vie intellectuelle. Vous êtes de ceux qui peuvent se pencher avec minutie sur un problème abstrait, ou entreprendre des recherches d'archives avec enthousiasme. Vous aimez approfondir. Vous n'aimez pas trop innover. L'avant-garde vous fait bâiller d'ennui. A vous les traditions, les valeur sûres.

Si vous êtes du type II, III :

Décidément vous n'êtes pas du genre à vous préoccuper de la logique. Le culturel, oui, le rationnel, non. Tout ce qui est trop structuré vous mine le moral. Vous raffolez des informations, des magazines et des idées de pointe. Mais attention, il vous faut toujours de la fantaisie et du non-conformisme ! Sinon, ça vous déprime. Votre intelligence est avant tout originale.

Si vous êtes du type III, I :

Vous pourriez dire, comme Yvon Belaval : « L'intelligence est un effort pour savoir de quoi on parle ». Et cet effort, vous le faites. Avec parfois une pointe de provocation qui vous fait passer pour plus contestataire que vous n'êtes. Mais vous, votre curiosité intellectuelle vous pousse à aller jusqu'au bout. Vous ne craignez personne pour défendre vos idéaux... et vos utopies.

Si vous êtes du type III, II :

Votre forme d'intelligence trouve sa meilleure expression dans le domaine du sentiment, de la nuance, de l'intuition, de la poésie. Bref, dans tout ce qui n'est pas qualifiable. Qualité avant tout et surtout, pas trop de rationnel. D'après vous, le rationnel, ça cloisonne trop les choses, et ça étouffe. A vous les grands espaces, les découvertes de la pensée fluctuante.

En cas d'égalité dans les colonnes, vos réponses peuvent se répartir comme suit :

— **3-3 :** Reportez-vous aux deux résultats possibles, comme si l'une de vos deux colonnes était dominante. Vous devez connaître de grandes luttes intérieures. Tantôt vous freinez, tantôt vous accélérez, tantôt vous faites les deux en même temps !

— **2-2-2 :** Vous êtes ouvert à tout, mais vous ne foncez pas sans avoir pris un long temps de réflexion. Vous ne rejetez pas l'avant-garde par principe mais vous exigez le respect des traditions.

COMMENT VOUS EXPRIMEZ-VOUS : TEST

1. Vous devez donner des instructions à quelqu'un :
- ☐ a - vous le faites d'une manière expéditive,
- ☐ b - elles sont précises et claires,
- ☐ c - la personne vous fait répéter.

2. Quand vous rencontrez un avocat, vous lui dites :
- ☐ a - bonjour maître,
- ☐ b - bonjour monsieur,
- ☐ c - bonjour.

3. Les émotions fortes...
- ☐ a - vous coupent le souffle,
- ☐ b - déclenchent en vous un flot de paroles,
- ☐ c - vous en ressentez rarement.

4. Vous vivez avec quelqu'un depuis plusieurs années. Qu'avez-vous tendance à lui dire :
- ☐ a - chéri(e), peux-tu me passer le sel s'il te plaît ?
- ☐ b - le sel, s'il te plaît,
- ☐ c - passe-moi le sel.

5. On vous fait des reproches injustifiés...
- ☐ a - désemparé, vous ne savez pas quoi dire,
- ☐ b - vous rétorquez vivement,
- ☐ c - vous réagissez beaucoup trop tard.

6. Vous avez quelque chose d'important à dire à un proche :
- ☐ a - vous lui écrivez,
- ☐ b - vous lui téléphonez,
- ☐ c - vous allez le voir.

Stop. Maintenant calculez vos résultats dans les colonnes suivantes :

	I	II	III
1	b	a	c
2	a	b	c
3	b	a	c
4	a	b	c
5	b	a	c
6	c	a	b

VOS RÉSULTATS

Si vous êtes du type I, II :

Vous auriez pu être acteur(trice). A moins que vous ne le soyez déjà ? Quoi qu'il en soit, vous avez une grande capacité à exprimer vos pensées. Et à les faire comprendre. C'est la force de votre intelligence : l'art de la formulation. Qui n'est pas donné à tout le monde, d'ailleurs, mais que vous maniez admirablement. Vous avez le sens du partage des choses de l'esprit.

Si vous êtes du type I, III :

Votre intelligence s'exprime d'une façon qui vous est très particulière. Selon les gens, les circonstances, les idées que vous avez à dire, vous changez votre expression. Un jour c'est fluide, aisé, facile. Le lendemain votre parole se grippe et vos pensées s'embrouillent. Ah, douloureux chaos quand tu nous tiens !...

Si vous êtes du type II, I :

Que vous deviez vous exprimer en public ou dans l'intimité, ce qui compte c'est à qui vous vous adressez. L'autre, en face, détermine toute votre attitude. C'est d'ailleurs une grande force pour vous, car vous êtes capable de moduler votre langage selon votre interlocuteur. Très médium, vous employez d'emblée les mots qu'il faut pour être perçu.

Si vous êtes du type II, III :

Vous pensez beaucoup. Vous analysez bien les données et savez synthétiser les éléments. Votre capacité d'abstraction est très grande. Mais vous n'êtes pas le champion de la formulation. Du moins au niveau de la parole. Là, c'est l'angoisse. Parler en public ? L'horreur, ça vous fait bafouiller. En revanche, vous êtes capable d'écrire des lettres admirables. Pour vous, vive l'écriture !

Si vous êtes du type III, I :

Quelle est cette angoisse qui vous saisit parfois quand vous êtes dans l'obligation de formuler votre pensée ? C'est comme si pour vous les choses essentielles ne pouvaient pas se dire. « C'est plus compliqué que ça »... telle est votre formule souveraine contre toute demande d'explication. Ce qui montre une forme d'intelligence subtile et complexe.

Si vous êtes du type III, II :

Chez vous, tout est une question de rythme. Votre devise pourrait être : « Surtout, ne pas se presser ». C'est dire qu'il faut un certain temps à votre intelligence pour assimiler puis formuler les données. Vous n'êtes pas le roi de la répartie vive ou de l'idée fulgurante. En revanche, pour une « course de fond » intellectuelle, vous pouvez être champion.

En cas d'égalité dans les colonnes, vos réponses peuvent se répartir comme suit :

— **3-3 :** Reportez-vous aux deux résultats possibles, comme si l'une de vos deux colonnes était dominante. Dans tous les cas, vous devez vivre des moments bien difficiles suivis de périodes d'aisance déconcertante !

— **2-2-2 :** Nul doute que votre expression ne soit claire, mûrement réfléchie et bien adaptée aux circonstances, même si vous connaissez quelques très désagréables moments de « trac ».

VOTRE CRÉATIVITÉ : TEST

1. Vous avez tendance à :

☐ a - découvrir très vite la faille de tout système,
☐ b - appliquer les règles d'un système,
☐ c - adopter ce qui vous convient dans un système.

2. Quand vous faites la cuisine...

☐ a - vous improvisez,
☐ b - vous suivez la recette à la lettre,
☐ c - c'est une corvée de toutes façons.

3. A partir du moment où vous vous intéressez à quelqu'un, il devient exceptionnel pour vous :

☐ a - oui,
☐ b - pas forcément,
☐ c - non.

4. Êtes-vous capable de tout oublier sur un sujet pour le reconsidérer d'un œil nouveau ?

☐ a - non,
☐ b - oui,
☐ c - de temps en temps.

5. Si on vous dit : « C'est un principe immuable, ça ne se discute pas », quelle est votre réaction ?

☐ a - vous étudiez la question pour voir s'il n'y a pas une faille,
☐ b - vous ne discutez pas puisque c'est un principe immuable,
☐ c - vos posez des questions pour vérifier la véracité de ce principe.

6. Vous ne retrouvez plus vos clés. Que faites-vous ?

☐ a - méthodiquement, vous fouillez toutes vos poches,

☐ b - vous demandez à votre entourage si on a vu vos clés,

☐ c - vous mémorisez les mouvements que vous avez faits pour vous rappeler où vous avez pu les laisser.

Stop. Maintenant calculez vos résultats dans les colonnes suivantes :

	I	II	III
1	a	c	b
2	a	b	c
3	a	b	c
4	b	c	a
5	a	c	b
6	c	a	b

VOS RÉSULTATS

Si vous êtes du type I, II :

Malin comme un singe... on a dû déjà vous dire cela ! Vous n'avez pas votre pareil pour résoudre tel problème réputé insoluble, grâce à votre ingéniosité. C'est parce que votre forme d'intelligence est particulièrement créatrice. Vous, ce n'est pas la logique ou l'abstraction qui vous font planer. C'est l'invention. Dans tous les domaines et au prix de tous les efforts.

Si vous êtes du type I, III :

C'est surtout dans le domaine psychologique que s'exerce au mieux votre faculté de créativité. Vous avez le feeling pour évoluer dans les situations les plus complexes sans faire d'accroc. Vous « sentez » aussi les gens, ce qu'il faut dire ou faire pour communiquer avec eux. Bref, votre créativité s'exerce beaucoup dans le domaine relationnel.

Si vous êtes du type II, I :

Votre intelligence créative est sujette à des hauts et des bas. Vous avez parfois trouvé des solutions fulgurantes, tandis que d'autres fois vous restiez sans voix devant un problème pas trop compliqué. Pourquoi ? Parce que votre créativité marche surtout à coup d'intuition. Et celle-ci se déclenche ou ne se déclenche pas. C'est capricieux, l'intuition.

Si vous êtes du type II, III :

A l'innovation, aux solutions jamais expérimentées, vous préférez les valeurs bien établies. Votre intelligence créative a besoin de s'appuyer sur des bases bien fixées pour fonctionner. Mais une fois que vous avez bien mis en place vos objectifs, étudié à fond les tenants et aboutissants de votre ligne de conduite, vous développez sans problème toute votre créativité.

Si vous êtes du type III, I :

La créativité, vous connaissez très bien ! Vous êtes même en permanence en train de bâtir des idées nouvelles ou de trouver des solutions originales. Ça extravague dur dans votre tête. Les cohortes de projets qui s'y pressent vous empêchent même de dormir ! Mais la réalité est plus dure que les mirifiques projets, c'est bien ce qui vous agace !

31

Si vous êtes du type III, II :

Comme le type I, III vous êtes le génie de la créativité relationnelle. Plus diplomate que vous, ça n'existe pas ! Avec quel art subtil vous savez « faire passer » aux autres tout ce qui vous passe par la tête. Ils en restent éblouis... Mais vous manquez de sens pratique. Faites un effort !

En cas d'égalité dans les colonnes, vos réponses peuvent se répartir comme suit :

— **3-3 :** Reportez-vous aux deux résultats possibles, comme si l'une de vos deux colonnes était dominante. Votre problème : vous vous sentez créatif sans trouver le domaine précis où votre créativité s'exercerait le mieux.

— **2-2-2 :** De l'invention, du « feeling » certes, mais sur les bases solides de valeurs reconnues.

Maintenant vous savez quelle est la forme primordiale de votre intelligence. C'est elle qui structure votre esprit. Elle préside à vos choix et à vos orientations. Elle est le reflet principal de vous-même. A vous de la maîtriser, de l'affiner. De vous positionner grâce à elle par rapport à vous-même, vis-à-vis de votre entourage, et dans le déroulement de votre vie sociale. Connaître votre forme d'intelligence, c'est savoir un peu quel genre de moteur habite votre machine ! A vous d'exploiter au mieux l'énergie produite.

2. DÉCOUVREZ VOTRE ÉLÉMENT
DE PRÉDILECTION

« L'imagination est multifonctionnelle », écrivait Gaston Bachelard. Et il est évident que celui qui privilégie l'eau dans ses songes n'a pas de points communs avec celui qui visualise des langues de feu !

Les résultats de ce test vous permettront de mieux cerner vos processus imaginatifs. Quel élément vous définit le mieux :

— l'eau,
— la terre,
— l'air,
— le feu.

2 - QUEL EST VOTRE ÉLÉMENT DE PRÉDILECTION ? TEST

1. Même si vous les possédez toutes les quatre, quelle qualité préférez-vous en vous-même ?

- ☐ a - votre bon sens,
- ☐ b - votre intuition,
- ☐ c - votre sens du contact humain,
- ☐ d - votre sens de l'action.

2. On dit volontiers de vous que vous êtes plutôt :

- ☐ a - insaisissable,
- ☐ b - réaliste,
- ☐ c - imprévisible,
- ☐ d - impétueux.

3. Votre endroit de détente préféré :

- ☐ a - les villes,
- ☐ b - la campagne,
- ☐ c - la montagne,
- ☐ d - le bord de mer.

4. Sans réfléchir, choisissez parmi ces quatre adjectifs celui que vous préférez :

- ☐ a - transparent,
- ☐ b - ardent,
- ☐ c - solide,
- ☐ d - fluide.

5. Lequel des quatre métaux suivants préférez-vous ?

- ☐ a - l'or jaune,
- ☐ b - l'argent,
- ☐ c - le platine,
- ☐ d - l'or blanc.

6. Même si vous ne le dites jamais, vous aimez surtout :

☐ a - rêver,
☐ b - avoir pas mal d'argent,
☐ c - avoir un certain pouvoir,
☐ d - rire.

7. Parmi ces quatre endroits imprévus, choisissez celui où vous passeriez votre lune de miel :

☐ a - en expédition dans la brousse,
☐ b - dans une navette spatiale,
☐ c - dans une chaumière au fond des bois,
☐ d - sur une île déserte.

8. Parmi ces quatre couleurs, laquelle préférez-vous ?

☐ a - le bleu,
☐ b - le rouge,
☐ c - le jaune,
☐ d - le blanc.

9. Parmi ces quatre animaux, lequel choisiriez-vous d'être ?

☐ a - un aigle,
☐ b - un dauphin,
☐ c - un chamois,
☐ d - un tigre.

10. Pour quel défaut avez-vous le plus d'indulgence ?

☐ a - la paresse,
☐ b - l'orgueil,
☐ c - l'avarice,
☐ d - le mensonge.

Stop. Maintenant calculez vos résultats dans les colonnes suivantes :

	I	II	III	IV
1	b	a	d	c
2	a	b	d	c
3	d	b	a	c
4	d	c	b	a
5	c	a	b	d
6	a	b	c	d
7	d	c	a	b
8	d	c	b	a
9	b	c	d	a
10	a	c	b	d

VOS RÉSULTATS

Si vous avez obtenu un maximum de réponses dans la colonne I :

L'eau est votre élément de prédilection. Vous êtes parfaitement à l'aise dans ce qui est fluide, changeant, irrationnel et poétique. L'intuition et la sensibilité sont les bases profondes qui gèrent votre personnalité. Souvent influençable, vous avez besoin de sécurité affective pour vous sentir bien. Ce qui est bénéfique pour vous : la mer et le bord de mer, les climats chauds et humides, le printemps, la nuit et la pleine lune.

Si vous avez obtenu un maximum de réponses dans la colonne II :

La terre est votre élément de prédilection. Vous êtes parfaitement à l'aise dans tout ce qui est concret, bucolique, solide et rationnel. Le réalisme et la stabilité sont les bases profondes qui gèrent votre personnalité. Souvent trop « sérieux », vous avez besoin qu'on vous insuffle humour et légèreté pour vous sentir bien. Ce qui est bénéfique pour vous : les collines, les campagnes verdoyantes plantées d'arbres, les climats continentaux, le matin et le soleil levant.

Si vous avez obtenu un maximum de réponses dans la colonne III :

Le feu est votre élément de prédilection. Vous êtes parfaitement à l'aise dans tout ce qui est mouvementé, structuré, imaginatif et chaleureux. Le sens de l'action et l'émotivité sont les bases profondes qui gèrent votre personnalité. Souvent vulnérable, vous avez besoin de vous sentir en confiance pour vous sentir bien. Ce qui est bénéfique pour vous : la montagne, l'altitude en été, les forêts, l'océan et la tempête, les climats tempérés, l'après-midi et le soleil couchant.

Si vous avez obtenu un maximum de réponses dans la colonne IV :

L'air est votre élément de prédilection. Vous êtes parfaitement à l'aise dans tout ce qui est imprévisible, excentrique, léger et spirituel. Le sens de l'harmonie et le « sentimental » sont les bases profondes qui gèrent votre personnalité. Souvent instable, vous avez besoin qu'on crée autour de vous un climat de non-compétitivité pour vous sentir bien. Ce qui est bénéfique pour vous : le désert, les terres arides, les climats froids et secs, le soir et les étoiles.

En prenant connaissance de vos résultats, vous comprendrez en profondeur la tonalité de vos sensations, la marque majeure de votre sensibilité. Vous saisirez aussi pourquoi il vous arrive de vous sentir si différent de certaines personnes : si vous êtes signe de feu par exemple, vous pouvez percevoir un signe d'eau comme un habitant d'une autre planète. Et, quand on connaît ses différences, il est toujours possible d'aviver son attention pour être en meilleure harmonie avec autrui.

3. VOTRE DIAGNOSTIC MENTAL

Tout le monde peut craquer. Excès de soucis personnels ou familiaux, longues périodes de déstabilisation, peuvent mettre votre équilibre en péril. Sans parler du chômage qui, statistiquement, provoque les atteintes les plus vives à l'identité personnelle : dévalorisation, perte de confiance en soi.

Chacun a ses fragilités : elles remontent à l'enfance et à l'éducation. Mais nous n'allons pas ici en faire la genèse. Notre intention est plutôt de vous permettre de repérer au plus vite les signes de ce que pourrait être votre glissement vers un état de crise.

En répondant le plus sincèrement possible aux questions de ce test, vous pourrez identifier la tendance pathologique qui vous menace le plus :

— hystérie,

— paranoïa,

— obsession,

— schizophrénie,

— dépression.

3 - VOTRE DIAGNOSTIC MENTAL : TEST

1. Vous êtes très capable :
- ☐ a - de faire exactement le contraire de ce que vous avez dit,
- ☐ b - de passer des heures à régler un détail,
- ☐ c - d'agresser verbalement quelqu'un et de ne pas le regretter,
- ☐ d - de penser que la vie ne vaut pas la peine d'être vécue,
- ☐ e - de vous abstraire complètement du monde.

2. Quand vous étiez enfant...
- ☐ a - vous étiez révolté contre l'autorité,
- ☐ b - vous ne vous étiez même pas aperçu que l'autorité existait,
- ☐ c - l'autorité vous donnait un sentiment d'impuissance,
- ☐ d - vous acceptiez l'autorité pour avoir la paix,
- ☐ e - vous aviez analysé les mécanismes de l'autorité pour la manipuler.

3. Vous pensez que vous êtes surtout :
- ☐ a - très perfectionniste,
- ☐ b - très marginal,
- ☐ c - très imprévisible,
- ☐ d - très lucide,
- ☐ e - très mélancolique.

4. D'une façon générale...
- ☐ a - vous vous sentez incompris,
- ☐ b - vous vous sentez trop compris,
- ☐ c - vous ne comprenez rien aux autres,
- ☐ d - vous comprenez tout avant tout le monde,
- ☐ e - vous devinez plus que vous ne comprenez.

5. Parmi les cinq situations suivantes, laquelle serait la pire pour vous :

☐ a - être pris en flagrant délit d'escroquerie,
☐ b - ne plus savoir qui vous êtes,
☐ c - être submergé par la peur,
☐ d - vous apercevoir que vous avez perdu tous vos papiers,
☐ e - être incapable de vous lever le matin.

6. Mais qu'est-ce qui, aujourd'hui, pourrait vous arriver de plus grave ?

☐ a - de vous battre parce que vous vous sentez offensé,
☐ b - de piquer une crise de nerfs en public,
☐ c - d'avoir des visions,
☐ d - de couper avec le reste du monde,
☐ e - d'être incapable de vous débarrasser d'une idée fixe.

7. Vous avez tendance à :

☐ a - être persuadé que vous détenez la vérité,
☐ b - ressentir plutôt qu'agir,
☐ c - vous prendre pour un extra-terrestre,
☐ d - chercher la petite bête,
☐ e - n'aimer que le silence.

8. Pour vos intimes, vous avez la réputation :

☐ a - d'être souvent dans la lune,
☐ b - d'être imprévisible,
☐ c - d'être très méfiant,
☐ d - d'avoir des états d'âme,
☐ e - d'être trop tatillon.

9. Vos émotions...

- ☐ a - vous submergent souvent,
- ☐ b - vous plongent dans la tristesse,
- ☐ c - vous les traitez par le mépris,
- ☐ d - vous les gérez, comme le reste,
- ☐ e - vous les transformez en rêve éveillé.

10. Ce que vous dissimulez le plus aux autres :

- ☐ a - la haine que vous êtes capable d'éprouver,
- ☐ b - votre détachement total pour des choses importantes,
- ☐ c - votre incroyable dépendance à l'égard de l'être aimé,
- ☐ d - votre goût maladif pour l'ordre,
- ☐ e - votre immense incapacité à vous motiver vraiment.

Stop. Maintenant calculez vos résultats dans les colonnes suivantes :

	I	II	III	IV	V
1	b	a	c	e	d
2	e	d	a	b	c
3	a	c	d	b	e
4	d	e	b	c	a
5	d	c	a	b	c
6	e	b	a	c	d
7	d	b	a	c	e
8	e	b	c	a	d
9	d	a	c	e	b
10	d	c	a	b	e

VOS RÉSULTATS

Si vous avez obtenu un maximum de réponses dans la colonne I :

Votre archétype culturel : Sherlock Holmes. Tatillon, méticuleux, vous ne laissez rien au hasard. Ça, c'est le côté positif de votre tendance. Mais attention, si, à un moment donné dans votre vie, vous vous apercevez que de menus détails envahissent votre esprit, que vous êtes pris par une idée fixe, tâchez de vous maîtriser : c'est le signe que votre penchant obsessionnel pourrait prendre le dessus sur vous et ébranler sérieusement votre équilibre.

Si vous avez obtenu un maximum de réponses dans la colonne II :

Votre archétype culturel : madame Bovary. Votre faille, c'est l'hystérie. Peut-être vous en êtes-vous déjà aperçu quand vous vous êtes senti submergé par vos émotions. Ou dépassé par des sentiments trop contradictoires. Ou pris d'une crise d'angoisse, de fou-rire, ou de nerfs impossibles à contrôler. Si vous constatez que vous vous donnez trop souvent en spectacle, ou que vous ne vous contrôlez plus très bien, c'est le moment de vous ressaisir pour... éviter le pire.

Si vous avez obtenu un maximum de réponses dans la colonne III :

Votre archétype culturel : Salvador Dali. Il se dit lui-même parano ! N'y allons pas par quatre chemins : vous avez, vous aussi, tendance à la paranoïa. Oui, c'est là que se situe votre faille et il faut faire avec, parce que vous ne changerez pas. Vos symptômes : une lucidité extrême, gênante pour vous comme pour les autres, ou une tendance à créer le conflit quand il n'y en a pas, ou à adopter une attitude implacable. Dur, dur... car vous vous malmenez autant que vous malmenez les autres ! Si des idées de persécution se mettaient à vous hanter, il serait temps de réagir pour éviter le délire !

Si vous avez obtenu un maximum de réponses dans la colonne IV :

Votre archétype culturel : le savant Cosinus. Savez-vous que vous avez une tendance à la schizophrénie ? Vos symptômes : une tendance à vous couper du monde extérieur pour vous réfugier dans votre univers intérieur, une perception très aiguë des sensations et, peut-être, parfois, des sensations de décalage par rapport au réel. Si un jour vous sentez que vous déconnectez encore un peu plus, c'est signe qu'il sera temps de réagir et de redescendre sur terre en vitesse !

Si vous avez obtenu un maximum de réponses dans la colonne V :

Votre archétype culturel : Baudelaire. Vous avez tendance à la dépression selon les circonstances. Votre faille : les montagnes russes de vos états d'âme. Par moments, tout va bien, vous êtes exalté, puis soudain, sans savoir pourquoi, vous sombrez dans la déprime et là, rien ne va plus.
Attention, si un jour vous vous apercevez que vous perdez le sommeil et l'appétit, que vous avez des idées de suicide et que vous perdez le contact avec les autres, inquiétez-vous de vous-même et confiez-vous à un ami sûr.

Être attentif à votre fragilité majeure vous permettra le cas échéant d'éviter de subir un accès pathologique. Maintenant que vous avez repéré ce qui pourrait vous guetter en cas de fortes tensions, vous avez l'arme pour intervenir aux premiers signes de détresse de votre équilibre, l'arme absolue : la lucidité.

4. QUEL EST VOTRE TYPE DE SEXUALITÉ ?

Êtes-vous de ceux qui « passent directement à l'acte », ou de ceux qui ont besoin d'une stratégie amoureuse avant de vivre vraiment leur sexualité ?

Entre ces deux extrêmes, il existe aussi mille autres possibilités. Car la sexualité met en jeu la sensibilité, la perception et les sentiments.

Elle est donc complexe, et avec ce test, vous allez pouvoir juger de la manière dont vous abordez votre sexualité... des préliminaires, en quelque sorte.

4 - QUEL EST VOTRE TYPE DE SEXUALITÉ ? TEST

1. Qu'est-ce qui est le plus important pour vous dans la relation amoureuse ?

☐ a - le premier regard que vous échangez avec quelqu'un qui vous plaît,
☐ b - le premier baiser échangé,
☐ c - la première relation physique,
☐ d - la première lettre d'amour échangée.

2. Selon vous, les rapports physiques dans un couple sont :

☐ a - accessoires,
☐ b - essentiels,
☐ c - assez importants,
☐ d - plus importants que tout.

3. La meilleure façon de vous séduire, c'est :

☐ a - de vous faire rire,
☐ b - de vous caresser,
☐ c - de vous faire sentir que vous connaîtrez une relation physique merveilleuse,
☐ d - de vous faire rêver.

4. Quand vous pensez à quelqu'un que vous aimez, qu'est-ce qui retient le plus votre attention ?

☐ a - le souvenir de la relation physique avec cette personne,
☐ b - une phrase amusante que cette personne a dite,
☐ c - un moment tendre que vous avez passé ensemble,
☐ d - le souvenir d'un baiser que vous avez échangé.

5. Attachez-vous beaucoup d'importance à la relation physique ?

☐ a - oui, énormément,
☐ b - non, pas du tout,
☐ c - moyennement,
☐ d - assez, oui.

6. Après les rapports physiques, qu'avez-vous tendance à faire ?

☐ a - vous vous endormez,
☐ b - vous bavardez,
☐ c - une pause boisson... pour recommencer,
☐ d - vous échangez vos impressions.

7. Selon vous, les rapports physiques c'est :

☐ a - la rencontre de deux corps,
☐ b - la rencontre de deux imaginaires,
☐ c - la fusion totale,
☐ d - l'expression d'une passion.

8. Dans une relation amoureuse, vous préférez :

☐ a - le moment du flirt, de la séduction,
☐ b - le moment des caresses,
☐ c - le moment de la relation physique,
☐ d - le moment où, seul, vous pensez à la personne aimée.

9. Pensez-vous que, la plupart du temps, on vous aime :

☐ a - pour votre intelligence,
☐ b - pour votre sensualité,
☐ c - pour votre esprit,
☐ d - pour votre don inné de l'érotisme.

10. La plupart du temps, vous aimez votre partenaire pour :

- ☐ a - son sens de l'humour,
- ☐ b - sa sensualité,
- ☐ c - son intelligence,
- ☐ d - votre réciproque entente érotique.

Stop. Maintenant calculez vos résultats dans les colonnes suivantes :

	I	II	III	IV
1	c	b	d	a
2	d	b	c	a
3	c	b	d	a
4	a	c	d	b
5	a	d	c	b
6	c	d	b	a
7	c	a	d	b
8	c	b	a	d
9	d	b	a	c
10	d	b	c	a

VOS RÉSULTATS

Si vous avez obtenu un maximum de réponses dans la colonne I :

Vous êtes un(e) passionné(e). Plus que quiconque vous avez besoin du contact physique et des caresses. Votre attirance pour une personne passe avant tout par le désir que vous avez de son corps.
Très réceptif, très attentif à vos sensations, vous

percevez avec un instinct animal. Vous recherchez une communion complète avec l'autre.

Il y a un côté mystique dans votre façon d'aborder la sexualité. Et vous n'êtes pas toujours compris par les autres. La tiédeur vous révolte : vous vivez votre sensualité dans la passion. Vous considérez que votre sexualité est en quelque sorte le « baromètre » de votre vie affective. Si elle décline un peu, c'est que quelque chose ne va pas. Vous vous remettez alors en question et vous analysez le problème jusqu'à ce que vous lui ayez trouvé une solution.

Si vous avez obtenu un maximum de réponses dans la colonne II :

Vous êtes un(e) exigeant(e). Très motivé par tout ce qui a trait au domaine de la sexualité, vous recherchez autant la complicité de la tête que celle du corps. C'est d'abord l'attirance physique que vous éprouvez pour une personne qui suscite votre désir. Mais elle doit aussi se doubler d'une bonne entente intellectuelle pour que vous ayiez envie de passer à l'acte. Le seul désir physique n'est pas suffisant pour vous. Vous avez besoin également d'admirer l'autre, ou du moins d'échanger des idées ou des opinions semblables.

Et pourtant, vous savez aussi aborder la sexualité avec un naturel et une fougue qui vous rendent très attractif. Mais vous cherchez par-dessus tout à créer un climat tendre et « intelligent » pour épanouir votre sensibilité. Tout ceci vous donne ce côté mystérieux et exigeant qui fait les grands séducteurs.

Si vous avez obtenu un maximum de réponses dans la colonne III :

Vous êtes un(e) lyrique. Votre sexualité passe en grande partie par votre imaginaire. C'est lui qui déclenche en vous le désir charnel. Vous aimez parler, délirer agréablement avec l'autre, puis penser à lui ou à elle quand il est loin. L'absence de l'autre entretient beaucoup en vous l'attirance que vous éprouvez, car vous pouvez alors imaginer. Vous revoyez son visage, ses gestes, son sourire, les phrases qu'il ou qu'elle a dites... Vous aimez les lettres d'amour, les divagations farfelues. A la limite, rien n'est plus excitant qu'une lettre d'amour admirablement écrite. La passion vous dévore plus sous son aspect lyrique que charnel. Vous êtes un créatif imaginatif !

Si vous avez obtenu un maximum de réponses dans la colonne IV :

Vous êtes un(e) subtil(e). Plus que le contact physique en lui-même, vous recherchez plutôt la complicité avec l'autre. Complicité de cœur et d'esprit. Vous ne la trouvez d'ailleurs pas toujours, car vous êtes très exigeant. Vous êtes extrêmement raffiné, et tout doit être parfait pour que vous vous laissiez aller à votre sensualité : le cadre, les parfums, l'ambiance, la complicité de votre partenaire, etc. C'est uniquement dans des conditions qui vous plaisent tout à fait que vous avez envie de vivre votre sexualité. Très sensible à la délicatesse, un détail qui cloche, un rien peut vous « refroidir ».
Pourtant quand vous êtes séduit, vous pouvez alors attacher de l'importance aux rapports physiques, du moment qu'ils sont empreints de sensibilité. Les caresses, les subtilités vous conviennent mieux que les déchaînements de la passion.

VOTRE EGO

Nous avons tous le sentiment de notre identité, de ce qui nous distingue des autres et fonde notre individualité. Mais nous en jouons plus ou moins bien.

Et cela se façonne suivant plusieurs variables : notre idée sous-jacente de nous-mêmes, notre souci de performances, notre taux de résistance à l'extérieur.

Faisons-nous du noyau de nous-mêmes un outil apte à affronter la vie ?

Cette deuxième partie est consacrée à un véritable sondage sur la gestion de vous-même :

1. Où en est votre ego ? Quelle position avez-vous vis-à-vis de vous-même ? Quel regard inconscient portez-vous sur lui ?

2. Savez-vous préserver vos équilibres de manière à être toujours au top de vous-même ? Êtes-vous capable de garder la forme ?

3. Avez-vous assez de tonus pour exploiter au mieux toutes vos capacités ? Êtes-vous dynamique ?

4. Sans organisation, pas de réussite. Mais connaissez-vous le style de la vôtre ?

5. Maîtrisez-vous vos émotions et arrivez-vous à les exprimer ?

6. Avez-vous une réserve intérieure pour vous protéger des autres. Possédez-vous un sens de la réplique tel qu'il annihile la parole d'autrui ? Quel est votre sens de la répartie ?

7. Êtes-vous possessif ? Quel rôle cela joue-t-il dans votre vie affective ?

Sept tests à découvrir d'urgence, pour vous apporter de précieuses informations sur votre personnalité profonde et sur la relation que vous entretenez avec vous-même.

1. COMMENT VA VOTRE EGO ?

« Connais-toi toi-même, disait Socrate, et tu connaîtras l'univers et les dieux. » Quelques siècles plus tard, la formule célèbre : « Le moi est haïssable » résumait les attaques contre Racine. Il y a de quoi nous laisser perplexes. Sachons donc trouver la mesure entre l'excès et... l'équilibre.

Car il est important que nous nous connaissions nous-mêmes. Si elle ne va pas jusqu'à couper les cheveux en quatre, l'introspection peut être une approche précieuse dans la découverte de la personne. Sachez l'utiliser au mieux. Ces quelques questions font appel à l'observation de comportements ou de réflexions courants. Elles vous en apprendront beaucoup sur vous et votre ego.

Comment vous comportez-vous avec le vôtre : le portez-vous en sautoir, comme un « ego éclabousseur », ou avez-vous l'ego tranquille du sage en accord avec lui-même ?

En d'autres termes, êtes-vous doté d'un bon égoïsme raisonnable et protecteur ou d'un égoïsme insupportable ?

Vous en saurez plus, beaucoup plus, après avoir fait ce test !

1 - COMMENT VA VOTRE EGO : TEST

1. Un événement imprévu vous empêche de vous rendre à une soirée entre amis. Vous devez rester seul chez vous :

- ☐ a - vous ruminez votre frustration toute la nuit,
- ☐ b - vous prenez un somnifère pour vous endormir tout de suite,
- ☐ c - vous regardez la télévision ou ouvrez un livre pour tuer le temps,
- ☐ d - la première déception passée, vous vous réjouissez de disposer d'un peu de temps pour vous.

2. Vous assistez à un spectacle qui vous plaît, mais soulève l'indignation de vos amis :

- ☐ a - vous les laissez dire,
- ☐ b - vous leur répondez vertement,
- ☐ c - vous exposez calmement votre opinion,
- ☐ d - après tout, ils ont peut-être raison.

3. Vous pensez que vous êtes généralement :

- ☐ a - rarement influençable,
- ☐ b - très influençable,
- ☐ c - pas du tout influençable,
- ☐ d - influençable quand ça vous arrange.

4. Vous devez négocier avec une personne que vous jugez très antipathique :

- ☐ a - vous refoulez prudemment vos sentiments négatifs,
- ☐ b - vous vous forcez à faire comme si la personne vous plaisait,
- ☐ c - vous ne parvenez pas à cacher votre antipathie,
- ☐ d - vous vous montrez encore plus antipathique qu'elle.

5. Quand vous aimez quelqu'un :

☐ a - vous pensez qu'il vous appartient pour la vie,

☐ b - vous pouvez aimer plusieurs personnes à la fois,

☐ c - vous n'imaginez pas une seconde qu'il puisse vous appartenir,

☐ d - vous aimeriez qu'il vous appartienne pour la vie, mais vous savez que ce n'est pas réalisable.

6. Attachez-vous beaucoup d'importance à l'impression que vous faites aux autres ?

☐ a - oui, énormément,

☐ b - non, pas du tout,

☐ c - oui, la plupart du temps,

☐ d - selon les situations.

7. La personne que vous aimez vous fait une scène de jalousie :

☐ a - vous en êtes sincèrement flatté,

☐ b - vous en profitez pour lui en faire une aussi,

☐ c - paniqué, vous prenez la fuite,

☐ d - consterné, vous pensez que c'est très déplacé.

8. Après une conversation passionnante :

☐ a - vous vous souvenez de tout ce qui a été dit,

☐ b - vous vous souvenez essentiellement de vos propres paroles,

☐ c - vous vous souvenez de l'ambiance générale,

☐ d - vous vous souvenez surtout des paroles de votre interlocuteur.

9. Si vous analysez vos propres défauts vous pensez que :

☐ a - vous en avez beaucoup,
☐ b - vous en avez, mais vous les connaissez,
☐ c - vous en avez certainement, mais lesquels ?
☐ d - les autres sont là pour les juger.

10. Avez-vous l'impression d'être quelqu'un de très différent des autres ?

☐ a - non, pas du tout,
☐ b - oui, très souvent,
☐ c - dans certaines circonstances uniquement,
☐ d - vous n'y avez jamais pensé.

Stop. Maintenant calculez vos résultats dans les colonnes suivantes :

	I	II	III	IV
1	a	b	c	d
2	c	b	a	d
3	c	a	d	b
4	c	d	a	b
5	a	b	d	c
6	a	c	b	d
7	b	a	d	c
8	b	a	d	c
9	c	d	b	a
10	b	c	a	d

VOS RÉSULTATS

Si vous avez obtenu un maximum de réponses dans la colonne I :

Quel ego ! Il est franchement gigantesque ! Si vous n'y prenez garde, il risque de vous étouffer. Savez-vous que vous vous prenez un peu trop pour le centre du monde ? Autour de vous, les autres ne font que graviter... tandis que, royal, vous menez votre barque. Vous êtes doué d'une forte personnalité, c'est certain. Une star sommeille en vous, et vous tenez à le faire savoir. Vous vous voulez hors du commun, et vous y arrivez sans effort. D'ailleurs, votre rayonnement est très grand. Attention seulement à ce qu'il ne vous éblouisse pas trop !

Si vous avez obtenu un maximum de réponses dans la colonne II :

Votre ego se porte bien. Très bien, même. On peut dire que vous vous occupez beaucoup de lui, c'est-à-dire de vous. Votre ego s'épanouit surtout lorsque vous êtes en société. Pétillant, virevoltant, vous captez tous les regards et vos propos fascinent vos interlocuteurs. Il vous faut briller à tout prix et vous maniez l'art de la réplique avec maestria. Vous vous emballez vite : événements, rencontres de nouveaux êtres, paysages ou voyages sont autant de proies pour vos appétits. Votre ego se nourrit de découvertes et de rencontres, et vous cohabitez très bien avec lui.

Si vous avez obtenu un maximum de réponses dans la colonne III :

Vous avez un ego très BCBG... C'est-à-dire, que, tant que les convenances et la dignité sont respectées, tout va bien ! Très rigoriste, vous avez tendance à faire de la morale aux autres. Un notaire de province sommeille en vous, et on peut vous faire confiance pour respecter les traditions. C'est sans doute parce que, en réalité, vous êtes très introverti. Vous aimeriez vivre en ermite. Et vous ne le faites pas. Les séjours à la campagne, dans la solitude, vous réussissent à merveille. C'est là que vous vous ressourcez, en oubliant enfin votre ego et ses diktats de moraliste.

Si vous avez obtenu un maximum de réponses dans la colonne IV :

Vous avez un ego comme tout le monde, mais vous mettez un point d'honneur à le maîtriser. Votre but secret serait d'atteindre la sérénité tôt ou tard. Et pour cela, il faut connaître son ego, ce que vous vous employez à faire. L'expérience vous a prouvé que vous étiez plutôt orgueilleux et très susceptible. Vous désirez maintenant ne plus tomber dans ces pièges qui vous ruinent le moral. Vous refrénez en vous les néfastes tendances de votre ego, ce dont vous tirez une intense satisfaction. Vous êtes un sage... ou vous aimeriez l'être. Patience, ça viendra certainement !

Ego fort, ego faible. Vous savez à quoi vous en tenir. Que ces résultats vous servent à réfléchir sur vous-même. Qu'est-ce qui vous empêche de vous affirmer ? Ou au contraire, qu'est-ce qui vous pousse à prendre toute la place ?

Approfondissez votre savoir en passant aux autres tests. Vous découvrirez peut-être que d'autres aptitudes compensent la fragilité ou l'hypertrophie de votre ego...

2. SAVEZ-VOUS GARDER LA FORME ?

Être toujours au summum de ses capacités, le rêve !

Ce test aborde le lien que nous avons avec nos équilibres profonds.

Certains d'entre nous ont trouvé intuitivement le moyen de se maintenir. D'autres sont toujours en deçà d'eux-mêmes.

Certains se vident pour un oui ou pour un non, d'autres se rechargent en un clin d'œil.

Dans quelle catégorie vous situez-vous ?

2 - SAVEZ-VOUS GARDER LA FORME : TEST

1. Vous considérez vos moments de détente comme :
- ☐ a - une manière de vous préparer à agir,
- ☐ b - indispensables à votre santé,
- ☐ c - des moments trop rares,
- ☐ d - des moments nécessaires, sans plus.

2. Que feriez-vous si vous disposiez de huit jours de vacances pendant lesquelles tout vous serait possible ?
- ☐ a - vous feriez un voyage,
- ☐ b - vous feriez une cure de thalassothérapie,
- ☐ c - vous feriez une expédition (trekking ou randonnée),
- ☐ d - vous prendriez du repos complet n'importe où.

3. Quand vous avez fait un effort physique, que se passe-t-il ?
- ☐ a - régénéré, vous êtes en pleine forme,
- ☐ b - vous vous écroulez, terrassé de fatigue,
- ☐ c - vous en redemandez parce que vous ne savez pas vous arrêter,
- ☐ d - vous prenez un peu de repos pour mieux récupérer.

4. Le manque de sommeil vous incite à :
- ☐ a - dormir irrésistiblement,
- ☐ b - vous bourrer de café,
- ☐ c - manger plus que d'habitude,
- ☐ d - vous agiter encore plus.

5. Quand vous tombez malade, que faites-vous ?

   ☐ a - affolé, vous courez chez n'importe quel médecin,

   ☐ b - vous vous soignez toujours par l'homéopathie,

   ☐ c - vous consultez votre médecin de confiance,

   ☐ d - vous attendez la dernière extrémité pour vous soigner.

6. Après un long voyage en avion, vous arrivez à destination. Que faites-vous ?

   ☐ a - une heure de sommeil, et vous revoilà frais et dispos,

   ☐ b - votre seul désir : dormir le plus longtemps possible.

   ☐ c - vous mangez beaucoup pour vous redonner des forces,

   ☐ d - une douche, et vous partez explorer la ville.

7. Quel est pour vous le meilleur moyen de vous détendre ?

   ☐ a - un bon livre, seul dans votre chambre,

   ☐ b - une soirée entre amis,

   ☐ c - faire du sport,

   ☐ d - dormir des heures.

8. Vos meilleures heures de sommeil se situent :

   ☐ a - après minuit,

   ☐ b - avant minuit,

   ☐ c - l'après-midi quand vous pouvez faire une sieste,

   ☐ d - tôt le matin.

9. Vous considérez votre corps comme :

- ☐ a - un instrument, sans plus,
- ☐ b - une machine de précision dont vous prenez soin,
- ☐ c - vous préférez ne pas y penser,
- ☐ d - un objet fragile à manier avec précaution.

10. Un « coup de pompe » au milieu de la journée. Comment réagissez-vous ?

- ☐ a - vous attendez avec résignation que cela passe,
- ☐ b - une cigarette ou un café,
- ☐ c - un brin de toilette, de l'eau fraîche,
- ☐ d - quelques minutes de sommeil, assis sur une chaise et ça repart.

Stop. Maintenant calculez vos résultats dans les colonnes suivantes :

	I	II	III	IV
1	a	b	d	c
2	b	d	c	a
3	a	c	d	b
4	a	c	d	b
5	b	c	a	d
6	d	a	c	b
7	c	a	b	d
8	b	d	a	c
9	b	d	a	c
10	d	c	b	a

VOS RÉSULTATS

Si vous avez obtenu un maximum de réponses dans la colonne I :

Vous avez du punch, beaucoup de punch... Mais vous ne vous écoutez pas assez. Vous êtes du type dur à cuire, terriblement résistant à la fatigue. Votre énergie semble inépuisable. C'est pourquoi vous avez tendance à en faire trop, vous croyant invulnérable. Puisant sans compter dans vos réserves, vous foncez... jusqu'à ce que vous tombiez par terre. Un coup de stress ? Vous réagissez en faisant encore plus d'efforts ! Ce n'est pas raisonnable. Vous surestimez vos forces. Sachez mieux vous ménager, prendre du repos, vous détendre.

Si vous avez obtenu un maximum de réponses dans la colonne II :

Vous détestez l'oisiveté. Vous êtes quelqu'un qui ne sait pas ne rien faire. Les moments de détente vous donnent des allergies et les vacances vous ennuient à l'avance. C'est pour cette raison que vous n'arrêtez pas de vous agiter. Infatigable, vous êtes un super-actif. Avec vous, on ne risque pas de s'ennuyer. Mais vous, vous risquez d'être surmené. Tout est prétexte à agir et vous ne tenez pas en place. N'est-ce pas de l'anxiété que vous fuyez ainsi en vous activant comme un fou ? Ménagez plus souvent vos réserves, vous y gagnerez en puissance...

Si vous avez obtenu un maximum de réponses dans la colonne III :

Votre forme, vous y tenez beaucoup... et vous prenez grand soin de la garder. Tout ce qui concerne la santé aussi bien physique que psychologique vous intéresse. Vous avez essayé des tas de recettes et médicaments de bonne femme pour conserver la forme. Attention, vous en devenez presque maniaque. Vous savez très bien gérer votre capital santé : vous savez quel sport pratiquer pour vous oxygéner, quelle vitamine absorber pour vous donner du tonus, etc. D'ailleurs, pourquoi vous donner tant de mal ? Vous avez naturellement une grande vitalité, qui vous permet de tenir le coup admirablement.

Si vous avez obtenu un maximum de réponses dans la colonne IV :

Votre forme, vous la conservez... parce que vous n'y pensez jamais ! Cela paraît paradoxal, mais c'est exact. Très rêveur, vous vivez dans votre imaginaire. Votre corps suit tant bien que mal... et plutôt bien que mal, ce qui est une chance. Vous ne vous demandez jamais si vous êtes fatigué ou pas, si vous devriez faire du sport ou non. Vous vous reposez ou pratiquez un sport quand ça se présente, et sans y attacher d'importance. Ce manque total d'angoisse vis-à-vis de votre santé en est le garant principal. Et votre tonus général est tout à fait satisfaisant, on pourrait dire par miracle !

Soyez attentif au degré d'investissement que vous apportez dans vos actions quotidiennes. Certaines tâches ne méritent pas que vous vous engagiez comme si votre sort en dépendait. C'est en ne prenant jamais la mesure des choses que l'on se vide de son énergie. Maintenant que vous le savez, à vous de doser !

3. ÊTES-VOUS DYNAMIQUE ?

Tonus et joie de vivre vont de pair la plupart du temps. Les gens dynamiques entraînent souvent les autres dans leur sillage rayonnant.

Le dynamisme est presque, dirons-nous, un argument de vente. A condition de bien le gérer. Il est indispensable à la majorité des activités.

Mais gare aussi à l'excès, qui décourage l'entourage...

3 - ÊTES-VOUS DYNAMIQUE : TEST

1. Que se passe-t-il si vous avez un projet qui vous tient à cœur ?

- ☐ a - vous y pensez beaucoup, vous concrétisez rarement,
- ☐ b - vous étudiez méthodiquement comment le réaliser,
- ☐ c - vous mettez une action en place pour le réaliser,
- ☐ d - vous foncez sans trop réfléchir pour le réaliser.

2. Vous considérez vos moments de détente comme :

- ☐ a - des moments privilégiés et hélas ! trop rares,
- ☐ b - des moments ennuyeux, mais inévitables,
- ☐ c - une manière de vous préparer à agir,
- ☐ d - indispensables à votre santé.

3. Si, les yeux fermés, vous imaginez un mur qui vous barre la route :

- ☐ a - vous vous demandez pourquoi il est là,
- ☐ b - vous vous sentez incapable de le franchir,
- ☐ c - vous pensez à un moyen de le détruire,
- ☐ d - vous cherchez l'astuce pour vous en sortir.

4. Généralement, avez-vous besoin de vous reposer avant d'entreprendre toute action ?

- ☐ a - cela peut vous arriver,
- ☐ b - oui, toujours,
- ☐ c - non, jamais,
- ☐ d - uniquement pour vous concentrer avant d'agir.

5. Attachez-vous beaucoup d'importance à votre propre efficacité ?

☐ a - vous avez tendance à douter de votre efficacité,

☐ b - oui, vous y attachez beaucoup d'importance,

☐ c - dans une certaine mesure, mais ce n'est pas
primordial,

☐ d - non, cela ne vous concerne pas vraiment.

6. Le travail en équipe vous permet :

☐ a - de dépasser vos limites habituelles,

☐ b - de vous stimuler par la compétition,

☐ c - de vous angoisser à cause de la compétition,

☐ d - de vous sécuriser parce que vous partagez
les tâches.

7. Êtes-vous impulsif ?

☐ a - oui, terriblement,

☐ b - non, pas du tout,

☐ c - assez, mais vous vous maîtrisez,

☐ d - cela dépend de votre humeur.

8. On vous propose un métier totalement différent du vôtre et bien payé. Quelle est votre réaction ?

☐ a - vous hésitez longuement, très perplexe,

☐ b - vous refusez, ayant trop peur de changer
vos habitudes,

☐ c - vous mourez d'envie d'accepter mais vous
réfléchissez,

☐ d - vous acceptez, ravi.

9. Le fait d'être confronté à des difficultés a tendance à :

☐ a - vous faire prendre du recul pour réfléchir,
☐ b - vous stimuler,
☐ c - vous déprimer,
☐ d - vous angoisser.

10. Ce qui vous vient à l'esprit si vous disposez de huit jours :

☐ a - faire un petit voyage pas fatigant,
☐ b - aller à la découverte d'un pays,
☐ c - repos complet au bord de la mer,
☐ d - trekking, randonnée ou expédition.

Stop. Maintenant calculez vos résultats dans les colonnes suivantes :

	I	II	III	IV
1	c	b	d	a
2	c	d	b	a
3	d	c	a	b
4	c	d	a	b
5	b	c	a	d
6	a	b	d	c
7	a	c	d	b
8	d	c	a	b
9	b	a	d	c
10	d	b	a	c

VOS RÉSULTATS

Si vous avez obtenu un maximum de réponses dans la colonne I :

Mais où foncez-vous comme ça ? Vous ne tenez pas en place ! De l'action, toujours de l'action... vous ne pouvez pas vous en passer. L'oisiveté vous donne des allergies, les moments de détente vous semblent interminables. Dévoreur de projets, stockeur d'idées grandioses, vous n'avez de cesse de réaliser tous vos fantasmes. Tout cela vous donne du punch et vous carburez force 13. Ce qui est difficile, c'est de vous suivre. Pensez un peu aux autres. Êtes-vous bien sûr que vous n'épuisez pas votre entourage sans le savoir ? Vous devriez vérifier...

Si vous avez obtenu un maximum de réponses dans la colonne II :

A vous regarder on a un peu l'impression d'être en présence d'une cocotte minute : vous êtes sous pression en permanence. Ça mijote doucement, et soudain ça bouillonne. Quand ça bouillonne vous devenez infatigable. Votre énergie est alors presque infinie, et ce sentiment vous grise. Mais vous n'êtes pas fait pour les longues distances. Vous vous essouflez vite. Il ne faut pas exiger de vous un effort continu. Une action rapide et courte vous convient mieux. C'est important pour vous de savoir vous détendre au bon moment... histoire de reprendre des forces pour redémarrer.

Si vous avez obtenu un maximum de réponses dans la colonne III :

Votre grand talent réside dans le fait que vous vous connaissez parfaitement bien. Votre potentiel de dynamisme est normal, plutôt moyen. Mais vous savez admirablement en tirer parti. Comme un athlète qui s'entraîne, vous dosez votre effort au millimètre. Ayant appris à connaître à fond vos possibilités, vous les gérez en douceur. Ce qui décuple votre capacité au travail, à l'action. On a l'impression que tout coule de source chez vous. C'est parce que vous savez utiliser votre énergie sans jamais l'épuiser. C'est une grande force, et vous devriez faire des adeptes !

Si vous avez obtenu un maximum de réponses dans la colonne IV :

Qu'est-ce qui vous empêche de vraiment vivre à fond votre potentiel de dynamisme ? On a l'impression que vous avez mis une soupape de sécurité, comme pour vous freiner ? C'est certainement une forme de timidité teintée de fatalisme. Vous pouvez pourtant être très dynamique, quand vous êtes vraiment très motivé. Mais une intense impression de « à quoi bon » vous saisit parfois, juste au moment où vous devriez agir. Cela vous freine, vous donne même des idées noires. Du coup, vous vous agitez... et peu à peu votre tonus revient, ce qui vous rassure. Bref, rien n'est simple. Mais ce n'est pas grave, car vous savez quand même très bien gérer ça !

Vous venez de découvrir la réponse à des questions qui vous ont souvent tracassé. Vous savez maintenant pourquoi vous n'êtes pas de ceux qui savent saisir une opportunité, pourquoi vous n'arrivez pas à rassembler les énergies autour de vous. Vous connaissez les raisons de ces maudits « coups de pompe » qui arrivent toujours au plus mauvais moment. Vous allez pouvoir utiliser au mieux votre potentiel dynamisme, clé de votre réussite.

4. ÊTES-VOUS ORGANISÉ ?

Il n'existe pas de réussite sociale sans organisation.
Mais à chacun la sienne. Les uns ont besoin de
rigueur, de classement, les autres ne se retrouvent
que dans leur fouillis.

A chacun son style.

Quel est le vôtre ? A vous de le définir en faisant le
test suivant.

4 - ÊTES-VOUS ORGANISÉ ? TEST

1. Vous êtes enclin à :

☐ a - vous égarer dans les détails,
☐ b - prendre en considération les menus faits,
☐ c - ne pas tenir compte des détails.

2. Vous vous sentez pris par le temps devant un travail à rendre :

☐ a - cela vous paralyse,
☐ b - vous mettez les bouchées doubles pour terminer en temps et en heure,
☐ c - vous prenez la chose sereinement.

3. Vous êtes quelqu'un qui :

☐ a - règle ses factures au fur et à mesure,
☐ b - les accumule et les règle toutes le même jour,
☐ c - ne se résout à les régler qu'au dernier moment.

4. C'est le grand rangement annuel :

☐ a - vous le considérez comme une vraie corvée,
☐ b - vous vous arrangez pour que cela aille vite,
☐ c - vous le faites méthodiquement en prenant votre temps.

5. Votre chambre est :

☐ a - toujours en désordre,
☐ b - toujours en ordre,
☐ c - rangée dans votre ordre à vous.

6. Vous avez un nouveau collaborateur :

☐ a - vous travaillez avec lui sans aucun problème,
☐ b - vous l'appréciez,
☐ c - vous acceptez cette collaboration contraint
et forcé.

7. Vous acceptez de prêter votre maison pendant votre absence :

☐ a - vous êtes ravi,
☐ b - vous faites d'interminables recommanda-
tions et laissez des consignes écrites de ce
qu'il ne faut pas faire,
☐ c - vous partez très contrarié.

Stop. Maintenant calculez vos résultats dans les colonnes suivantes :

	I	II	III
1	c	b	a
2	c	b	a
3	a	b	c
4	c	b	a
5	c	b	a
6	b	c	a
7	c	b	a

VOS RÉSULTATS

Si vous avez obtenu un maximum de réponses dans la colonne I :

Vous présumez de votre pouvoir d'organisation.
Vous avez l'impression que vous ferez face à tout,

mais en temps voulu vous n'avez pas forcément la solution pour résoudre les menus détails. Perdez cette habitude de décider au fur et à mesure des événements. Finalement l'organisation ne vous inspire pas vraiment, vous êtes plus à l'aise dans la création. Essayez de conjuguer les deux.

Si vous avez obtenu un maximum de réponses dans la colonne II :

Vous avez tendance à en faire trop. Vous vous targuez d'avoir le sens de l'organisation, de procéder avec méthode. Vous élaborez tellement que finalement vous perdez du temps. Rétrécissez votre champ de vision, tenez-vous à ce que vous avez à faire. L'organisation doit s'appliquer dans une action. Et s'organiser pour le plaisir de le faire est stérile.

Si vous avez obtenu un maximum de réponses dans la colonne III :

Vous avez de la fantaisie dans l'organisation. Cela induit que vous devez travailler seul, car vous êtes seul à pouvoir suivre votre propre méthode. Vous n'aimez pas vous plier aux règles établies. Vous organisez vite et bien, de manière intuitive. Cela peut impliquer que vous n'avez pas confiance dans les autres. Mais cela dénote, quoiqu'il en soit, une certaine originalité. Trouvez la place qu'il vous faut, et tout ira bien !

5. MAÎTRISEZ-VOUS VOS ÉMOTIONS ?

Vous avez à faire face, presque quotidiennement, à des situations imprévues, parfois sans aucune importance mais qui déclenchent en vous des vagues émotionnelles.

Êtes-vous de ceux qu'elles submergent complètement, provoquant une grande déstabilisation ?

Gardez-vous un sang-froid apparent en vous adaptant aux circonstances et en imposant silence à ce flot tumultueux, avec tous les risques d'inhibition que cela comporte ?

Avez-vous une compréhension rapide de la raison de votre émotion et réussissez-vous à l'exprimer librement ?

5 - MAÎTRISEZ-VOUS VOS ÉMOTIONS : TEST

1. Vous lisez : « Pli urgent » sur votre boîte aux lettres :

- ☐ a - vous éprouvez une violente angoisse,
- ☐ b - très calme, vous sortez vos clés,
- ☐ c - en sortant vos clés, vous vous dites : « D'où cela peut-il venir ? ».

2. Vous êtes convoqué par votre employeur :

- ☐ a - c'est la panique totale,
- ☐ b - vite, les dossiers en cours !
- ☐ c - nouvelle mission ou promotion ? Sait-on jamais !

3. Un cycliste est renversé par une voiture :

- ☐ a - vous vous précipitez pour l'aider,
- ☐ b - vous vous engouffrez dans le café le plus proche,
- ☐ c - vous regardez en badaud, un peu mal à l'aise.

4. En société, vous retrouvez par hasard quelqu'un qui vous a causé un grave préjudice :

- ☐ a - vous l'ignorez complètement,
- ☐ b - vous racontez des histoires drôles et accaparez la conversation,
- ☐ c - vous restez courtois mais dites calmement à votre ennemi le peu de plaisir que vous fait cette rencontre.

5. Vous êtes « au bout du rouleau ». Un ami vous demande un service :

- ☐ a - vous explosez littéralement,
- ☐ b - vous avouez votre état d'extrême fatigue,
- ☐ c - la mort dans l'âme, vous acceptez sans rien dire.

6. Vous venez d'apprendre une mauvaise nouvelle. Des amis arrivent à l'improviste :

☐ a - vous ne laissez rien paraître,
☐ b - vous les recevez « comme des chiens »,
☐ c - vous soulagez votre cœur auprès d'eux.

7. L'attitude d'un ami vous a vraiment déplu :

☐ a - vous ne mâchez pas vos mots...
☐ b - vous souffrez intérieurement,
☐ c - vous expliquez ce que vous avez ressenti et demandez des éclaircissements.

8. Vous avez l'impression confuse d'être suivi :

☐ a - vous vous mettez à courir à toutes jambes,
☐ b - vous regardez derrière vous pour détruire ce malaise sans fondement,
☐ c - vous vous arrêtez devant une vitrine pour épier les différents passants suspects.

9. Vous attendez un coup de fil urgent qui n'arrive pas :

☐ a - vous vous adressez aux réclamations car votre ligne est peut-être en panne,
☐ b - vous êtes très inquiet, craignant le pire,
☐ c - vous pestez contre ces malotrus qui ne respectent jamais les horaires.

10. Vous avez mal saisi les propos de quelqu'un et vous sentez injurié :

☐ a - vous serrez les poings dans vos poches,
☐ b - vous lui assénez une bonne répartie,
☐ c - vous lui demandez pourquoi il cherche à vous blesser.

Stop. Maintenant calculez vos résultats dans les colonnes suivantes :

	I	II	III
1	a	b	c
2	a	b	c
3	b	c	a
4	b	a	c
5	a	c	b
6	b	a	c
7	a	b	c
8	a	c	b
9	c	b	a
10	b	a	c

VOS RÉSULTATS

Si vous avez obtenu un maximum de réponses dans la colonne I :

Vous êtes sans conteste un hyper émotif et cela vous rend très vulnérable. Vous vivez certainement des moments de grande intensité tant sur le plan de votre vie affective personnelle que sur le plan socio-professionnel. Votre passage quelque part ne doit pas rester inaperçu et vous exercez sans doute un grand charisme sur votre entourage. Mais vous vous faites aussi probablement pas mal d'ennemis, car cette hyper-émotivité vous rend très agressif. Votre virulence peut provoquer chez les autres des réactions émotionnelles violentes.

Afin de ne pas gaspiller votre énergie et pour éviter les trop nombreuses situations conflictuelles, il faudrait que vous arriviez à prendre de la distance par rapport à vos émotions, en essayant de les comprendre avant de réagir.

Si vous avez obtenu un maximum de réponses dans la colonne II :

Votre vie émotionnelle est intense mais vous la refusez. En fait, elle vous fait peur et dérange votre désir de vie harmonieuse. Pour vous, la victoire, c'est la fuite. Mais ce n'est pas parce que vous voulez les ignorer que vos émotions n'existent pas. En les enfouissant au plus profond de vous-même, vous ne les maîtrisez pas et elles font un dangereux travail souterrain qui vous déstabilise à votre insu. Acceptez-les donc et vous verrez comme c'est bon de se sentir vivre.

Si vous avez obtenu un maximum de réponses dans la colonne III :

Certes vous êtes émotif et vous avez une grande sensibilité, mais vous savez donner leur vraie place à vos émotions. Vous les acceptez et vous cherchez toujours à les comprendre. Vous connaissez ainsi une vie dense mais harmonieuse et équilibrée. En les avouant, vous ne vous sentez pas « diminué » et vous évitez bien des problèmes inutiles.

Comme quoi, la vraie force, c'est souvent de savoir reconnaître ses faiblesses !
C'est, dans tous les cas, le seul moyen de se donner à soi-même les possibilités de les maîtriser.

6. AVEZ-VOUS LE SENS DE LA RÉPARTIE ?

Tac au tac. Tac-tique ou tac-hycardie !

Testez votre sens de la réplique. Il vous donnera la jauge de votre émotivité et de votre expression orale spontanée.

Plutôt que de vous laisser laminer par les flèches de vos interlocuteurs, devenez à votre tour capable d'utiliser la parole. Car le sens de la répartie ça se travaille... et ça se perfectionne.

6 - AVEZ-VOUS LE SENS DE LA RÉPARTIE : TEST

1. Les émotions fortes :

☐ a - vous stimulent,
☐ b - vous coupent le souffle,
☐ c - vous en ressentez rarement,
☐ d - déclenchent chez vous un flot de paroles.

2. Dans un dîner, un convive expose des idées que vous jugez révoltantes. Que faites-vous ?

☐ a - comme si vous n'entendiez pas,
☐ b - la rage vous étouffe et vous laisse sans voix,
☐ c - vous lui dites son fait avec violence,
☐ d - vous le clouez d'une réplique bien sentie.

3. Un enfant vous demande une berceuse pour s'endormir. Vous n'avez pas envie de chanter. Que faites-vous ?

☐ a - vous préférez mettre un disque,
☐ b - vous chantez sans hésiter,
☐ c - vous prenez courageusement votre plus belle voix,
☐ d - vous déclarez que vous avez mal à la gorge.

4. Vous avez obtenu un rendez-vous avec votre patron :

☐ a - vous lui remettez une lettre pour lui exposer vos desiderata,
☐ b - vous attendez la bonne occasion pour lui en parler,
☐ c - vous attendez qu'il vous propose une augmentation,
☐ d - après avoir mis au point une stratégie, vous lui exposez votre cas.

5. Une personne que vous aimez vous a donné rendez-vous dans un café. Elle arrive une heure en retard :

- ☐ a - vous n'osez faire aucune remarque,
- ☐ b - vous lui demandez quel incident est survenu,
- ☐ c - vous dites : « Je viens d'arriver, merci d'être revenu »,
- ☐ d - vous lancez : « Merci pour cette heure de tranquillité ! ».

6. Pensez-vous qu'un geste bref vaut mieux qu'un long discours ?

- ☐ a - oui, tout à fait,
- ☐ b - oui, dans une certaine mesure,
- ☐ c - non, pas du tout,
- ☐ d - peut-être, parfois.

7. Quelqu'un qui vous déplaît vous fait des avances :

- ☐ a - « Il n'est pas nécessaire d'espérer pour entreprendre ni de réussir pour persévérer » lui dites-vous,
- ☐ b - vous lui expliquez longuement que l'amitié est la plus belle des choses,
- ☐ c - vous ressortez la phrase de Napoléon : « En amour, la plus grande victoire, c'est la fuite »,
- ☐ d - vous faites comme si vous ne compreniez pas.

8. Un ami vous a dit des paroles blessantes :

- ☐ a - vous vous montrez plus blessant encore,
- ☐ b - vous restez sans voix,
- ☐ c - vous trouvez une pirouette pour le ridiculiser,
- ☐ d - vous réagissez deux jours après.

9. Un snob emploie de grands mots sur un sujet qu'il ignore :

☐ a - vous étalez vos connaissances, preuves à l'appui, et le ridiculisez,

☐ b - vous dites : « Décidément, la culture, c'est vraiment ce qui reste quand on a tout oublié »,

☐ c - médusé, vous ne dites mot,

☐ d - vous ne tarissez plus sur l'intérêt du sujet.

10. Vous préféreriez avoir la réputation d'être :

☐ a - bourré de charme,

☐ b - bourré de talent,

☐ c - écorché vif,

☐ d - plein d'esprit.

Stop. Maintenant calculez vos résultats dans les colonnes suivantes :

	I	II	III	IV
1	d	a	b	c
2	d	c	b	a
3	b	c	a	d
4	d	b	a	c
5	d	a	c	b
6	a	b	d	c
7	a	b	c	d
8	c	a	d	b
9	b	d	a	c
10	d	a	b	c

VOS RÉSULTATS

Si vous avez obtenu un maximum de réponses dans la colonne I :

Difficile de trouver plus vipère que vous ! Votre esprit acéré vous fait voir en gros plan les travers des autres. Et la répartie fuse. C'est plus fort que vous. D'ailleurs, le plus souvent, ça fait rire la galerie, car vos traits sont drôles, bourrés d'un talent de caricaturiste. Mais vous n'êtes pas sans savoir que parfois, vous pouvez blesser très fort. Ne vous étonnez pas si vous provoquez quelques grincements de dents. Et apprenez aussi à vous faire pardonner votre esprit incisif, avant de vous brouiller avec la moitié du monde !

Si vous avez obtenu un maximum de réponses dans la colonne II :

Dans l'ensemble, vous savez très bien faire passer vos messages, car vous n'aimez pas garder vos sentiments pour vous. C'est un peu excessif. Vous avez tendance, en effet, à parler à tort et à travers. Le monde entier est au courant de vos états d'âme. Vous les déversez sans compter. A ce stade là, ce n'est plus de la répartie, c'est de la tirade. Si on n'arrive pas à vous suivre dans ces méandres, vous continuez quand même, grisé par votre propre parole. On vous écoute, on apprécie, et puis on se lasse... parce que c'est trop long ! Soyez moins fouillis, s'il vous plaît !

Si vous avez obtenu un maximum de réponses dans la colonne III :

Comme Stendhal, vous pourriez dire : « Les paroles sont une force que l'on cherche hors de soi »... C'est dire l'importance que vous attachez au fait de toujours trouver le mot juste. Quand ça marche, vous êtes transporté de joie. Et ça marche souvent, car vous mettez un point d'honneur à ciseler vos réparties, en orfèvre du langage. Mais si, par malheur, vous n'êtes pas inspiré, si vous balbutiez péniblement, vous avez l'impression que le monde s'écroule. N'y a-t-il pas beaucoup d'orgueil dans ce besoin de toujours avoir le dernier mot ?

Si vous avez obtenu un maximum de réponses dans la colonne IV :

Pourquoi tant de discrétion ? On dirait que vous avez peur de vous exprimer à haute voix. Vous êtes très à l'écoute de ce que disent les autres, mais vous répondez fort peu. Vos silences inspirent confiance. On vous croit inoffensif. On se trompe. En réalité, vous êtes très habile. Vous esquivez l'attaque directe. Mais vous vous rattrapez par un art consommé de la diplomatie. Avec une subtilité époustouflante, vous faites passer le message en douceur. Votre répartie arrive alors juste à point, et sans jamais blesser tant elle est habile.

Votre sens de la répartie est bon ? Bravo et surtout tant mieux pour vous. Vous êtes à l'abri des aléas de la vie sociale.

Il laisse à désirer, mettez tout en œuvre pour le développer. La parole, on le sait depuis l'Antiquité, est la meilleure et la pire des choses. Utilisez-la comme votre meilleur argument.

7. ÊTES-VOUS POSSESSIF ?

L'être humain, en quête permanente de son identité propre, se définit par rapport aux autres. Un de ses moyens de base pour se situer est évidemment le fait de posséder, de faire acte de « propriétaire », sur un plan purement matériel bien sûr, mais aussi sur le plan affectif.

Cette possessivité étant un moyen de nous rassurer sur nous-mêmes, nous avons souvent bien du mal à la reconnaître.

Se l'avouer est pourtant le premier pas indispensable à la prise de conscience de sa fragilité, la première démarche pour contrôler des réactions qui influencent grandement nos relations affectives.

7 - ÊTES-VOUS POSSESSIF : TEST

1. Des amis que vous avez présentés se voient sans vous :

☐ a - c'est normal et ça vous fait plaisir,
☐ b - vous vous sentez rejeté et le leur dites,
☐ c - vous ressentez un petit pincement au cœur.

2. Votre ami a fait une rencontre passionnante :

☐ a - vous le mettez en garde contre son emballement,
☐ b - vous souffrez de vous sentir « fade »,
☐ c - vous êtes ravi pour votre ami.

3. Dans un couple, selon vous :

☐ a - on partage les mêmes distractions,
☐ b - des loisirs différents sont préférables,
☐ c - vous acceptez le hobby de votre partenaire mais sentez qu'une part de lui vous échappe.

4. Votre partenaire doit s'absenter quelques jours :

☐ a - Ouf ! A vous la liberté,
☐ b - ces journées vous paraissent interminables, vous n'arrivez pas à vous occuper,
☐ c - son absence vous angoisse, mais vous profitez de votre solitude.

5. Pour vous, la fidélité dans un couple :

☐ a - doit être totale,
☐ b - peut connaître quelques accrocs à condition que l'autre les ignore,
☐ c - c'est dépassé. Vive la liberté des couples modernes.

6. Votre partenaire prône le « chacun chez soi » :

☐ a - cela vous convient à merveille,
☐ b - vous ne pouvez tolérer qu'il n'ait pas envie d'être continuellement à vos côtés,
☐ c - vous acceptez à regret.

7. Nous avons tous un « passé » amoureux :

☐ a - bon d'accord. Mais inutile d'en parler !
☐ b - en parler dans le couple vous paraît naturel,
☐ c - la seule pensée qu'il y en ait eu d'autre(s) avant vous, vous rend fou (folle) !

8. L'amour, c'est :

☐ a - pour la vie !
☐ b - fragile, mais vous êtes prêt à tous les efforts,
☐ c - merveilleux à condition de ne pas se « faire bouffer ».

9. La jalousie, c'est :

☐ a - insupportable,
☐ b - une preuve d'amour,
☐ c - un poison que vous connaissez bien, mais que vous dominez.

10. Un week-end de solitude. Les amis que vous appelez ne peuvent vous inviter :

☐ a - sans problème ! Vous trouvez une autre idée,
☐ b - déçu, un peu amer, vous faites contre mauvaise fortune bon cœur,
☐ c - inadmissible ! De vrais amis ne vous abandonneraient pas ainsi.

Stop. Maintenant calculez vos résultats dans les colonnes suivantes :

	I	II	III
1	a	c	b
2	c	b	a
3	b	c	a
4	a	c	b
5	c	b	a
6	a	c	b
7	b	a	c
8	c	b	a
9	a	c	b
10	a	b	c

VOS RÉSULTATS

Si vous avez obtenu un maximum de réponses dans la colonne I :

La possessivité, connais pas ! Vous êtes d'une nature très indépendante et vous refusez toute contrainte. Vous êtes certainement très agréable à vivre, disponible aux imprévus et ouvert aux autres. Vous ne faites pas partie des « amants terribles » et les drames passionnels auraient même tendance à vous paraître ridicules. Vous seul savez s'il s'agit d'une réelle sagesse ou si vous vous protégez inconsciemment contre des atteintes émotionnelles qui vous font peur.

Si vous avez obtenu un maximum de réponses dans la colonne II :

Ah ! Certes, vous n'en laissez rien paraître, mais intérieurement, que de souffrance rentrée ! Allons, il faut bien l'admettre, vous êtes possessif même si votre fierté et votre dignité personnelle vous interdisent de le manifester. Vous vous rongez, vous n'y pouvez rien. Pourquoi n'essaieriez-vous pas d'avoir une attitude plus naturelle en exprimant calmement ce que vous ressentez ? Cela vous éviterait bien des affres. Quelle est cette pudeur qui vous retient ? Manqueriez-vous d'assurance et de confiance en vous ?

Si vous avez obtenu un maximum de réponses dans la colonne III :

Votre vie est une succession de drames, de scènes de jalousie, de ruptures et de réconciliations. Vous avez un besoin insatiable d'aimer et d'être aimé. C'est votre raison même de vivre, votre oxygène. Vous êtes épris d'absolu. Pour vous, l'amour et l'amitié donnent tous les droits et tous les pouvoirs. Quelle est donc cette carence affective que vous avez absolument besoin de combler ?

La possessivité vous est familière ou étrangère. Vous n'y pouvez rien. Si elle vous habite, faites en sorte qu'elle ne vous dévore pas. C'est un contrat à passer avec vous-même ! Si vous l'ignorez, demandez-vous si ce n'est pas par refus d'implication ou par une sorte de négation de vous, comme si vous vous sous-estimiez au point de trouver normal de ne pas inspirer de sentiments puissants.

TROISIÈME PARTIE

VOUS ET LES AUTRES

Quelle est la place et l'importance des autres dans votre vie ? Ils vous sont indispensables, ou indifférents ? Vous faites avec, ou vous vous en servez ? Les cinq tests de cette troisième partie vous fixeront dans vos positions par rapport à autrui :

1. Avez-vous une aptitude naturelle à diriger, à mener les autres ? Êtes-vous un leader ?

2. Vous sont-ils indispensables, ou, au contraire, vous sentez-vous autonome ?

3. Si vous savez vous passer des autres, iriez-vous jusqu'à leur nuire en vous comportant comme un goujat ?

4. Savez-vous aller vers les autres et communiquer avec eux ?

5. Enfin, sacrifiez-vous votre vie privée à votre carrière, ou bien recherchez-vous avant tout un équilibre de la personne toute entière ?

1. ÊTES-VOUS UN LEADER ?

Avez-vous l'âme d'un meneur ? Lorsque vous vous trouvez dans un groupe, êtes-vous celui à qui échoit naturellement le rôle de décider d'une sortie, de définir un programme d'action ? Si c'est le cas dans votre vie privée et non dans votre univers de travail, c'est que vous n'êtes pas à votre place.

Il se peut aussi que vous ayez un poste à responsabilité et que vous y soyez mal à l'aise, saturé...

Faites le point en répondant aux questions de ce test.

1 - ÊTES-VOUS UN LEADER : TEST

1. Lorsque vous donnez des instructions à quelqu'un qui a une position sociale inférieure à la vôtre, comment faites-vous ?

☐ a - vous vous sentez un peu coupable,
☐ b - vous restez très naturel,
☐ c - vous procédez avec autorité,
☐ d - vous restez distant mais très poli.

2. Dans un groupe, vous avez tendance :

☐ a - à vous ennuyer,
☐ b - à capter l'attention générale au bon moment,
☐ c - à écouter les autres,
☐ d - à attirer coûte que coûte l'attention sur vous.

3. Votre bijou fétiche est :

☐ a - en or,
☐ b - en argent,
☐ c - en métal,
☐ d - vous n'en avez jamais eu.

4. Vous préféreriez qu'on dise de vous :

☐ a - c'est une personnalité hors du commun,
☐ b - en réalité, c'est un grand sentimental,
☐ c - il sait bien mener sa barque,
☐ d - il fera du chemin.

5. Vous préférez :

☐ a - le tête-à-tête,
☐ b - la solitude,
☐ c - les réunions à 3 ou 4 personnes,
☐ d - les réunions avec beaucoup de monde.

6. Vous êtes de ceux qui :

☐ a - adorent prendre la parole en public,
☐ b - détestent prendre la parole en public,
☐ c - prennent la parole en public quand il le faut mais sans plaisir,
☐ d - sont terrifiés quand il faut prendre la parole en public.

7. Quand vous étiez enfant :

☐ a - vous n'aviez qu'un ami intime,
☐ b - vous étiez dans une bande,
☐ c - vous n'aviez pas d'amis,
☐ d - vous aviez un ou deux copains.

8. Une bonne fée vous propose d'être doué d'une des qualités suivantes. Laquelle choisissez-vous ?

☐ a - la volonté,
☐ b - la générosité,
☐ c - le charisme,
☐ d - la beauté.

9. Parmi ces quatre situations, laquelle serait la pire pour vous ?

☐ a - être pris en flagrant délit de mensonge,
☐ b - être ridiculisé devant des proches,
☐ c - être trahi par un proche,
☐ d - manquer à une parole donnée.

10. Au cours de votre travail, vous avez une décision rapide et importante à prendre. Que se passe-t-il ?

☐ a - vous paniquez et demandez conseil au premier venu,
☐ b - vous paniquez et prenez votre décision tout seul,
☐ c - vous synthétisez tous les éléments pour trouver une issue,
☐ d - vous décidez vite, et le plus souvent bien.

Stop. Maintenant calculez vos résultats dans les colonnes suivantes :

	I	II	III	IV
1	c	b	a	d
2	b	d	c	a
3	a	b	c	d
4	a	c	d	b
5	d	c	a	b
6	a	c	b	d
7	b	d	a	c
8	c	b	a	d
9	a	b	d	c
10	d	c	b	a

VOS RÉSULTATS

Si vous avez obtenu un maximum de réponses dans la colonne I :

Pour trouver plus battant que vous, il faudrait chercher longtemps ! Fichtre, vous avez placé la barre très haut. La vie pour vous est un combat, et, coûte que coûte, vous avez décidé de gagner. Donc, vous mettez tous les atouts de votre côté : charisme, charme, autorité ou manipulation s'il le faut... Décider, diriger, ça vous connaît. Votre principe, c'est de mener votre monde par le bout du nez. Vous y arrivez très bien, et gare à ceux qui vous résistent. Mais attention toutefois à ne pas devenir trop despotique ! Votre aura y perdrait de son prestige, et ça, vous ne le supporteriez pas...

Si vous avez obtenu un maximum de réponses dans la colonne II :

Dans votre enfance, vous avez probablement été chef de bande... ou vous avez rêvé de l'être. Depuis, vous vous êtes assagi. Mais il vous reste un petit côté « tribal », ou grand manitou de la tribu. Vous aimez à voir votre monde autour de vous. Humaniste et très réceptif aux réactions des autres, vous les captivez par votre générosité. Vous ne vous affirmez pas en force, mais en douceur. Vous êtes un leader de type convivial, beaucoup de cœur et peu d'autorité. Votre faiblesse : vous ne supportez pas de faire de la peine aux autres. On vous respecte sans vous craindre, c'est déjà pas mal !

Si vous avez obtenu un maximum de réponses dans la colonne III :

Vous n'êtes pas de ceux qui ont absolument besoin de commander pour exister. Vous préférez faire cavalier seul. Être le point de mire d'un groupe n'entre pas dans votre programme. Vous aimez que tout se passe dans une ambiance détendue. Trop inventif pour devenir conformiste, vous ne vous souciez pas de prendre des gens sous votre coupe. Vous préférez comprendre les gens plutôt que de les diriger. D'ailleurs, cela vous confère un certain prestige, dont vous n'êtes jamais dupe. D'après vous, un leader ressemble plutôt à un petit chef, et vous ne tenez pas à donner cette image de vous aux autres.

Si vous avez obtenu un maximum de réponses dans la colonne IV :

Leader, vous ? Pas vraiment. Plutôt merveilleux diplomate. Vous fonctionnez beaucoup à l'inspiration et vous n'avez pas votre pareil pour dire ce que vous pensez sans jamais heurter. Vous savez dénouer les situations compliquées avec tact et astuce. Vous ne commandez pas directement. Mais vous influencez avec subtilité. Cela vous donne une position de force invisible qui vous permet de toujours obtenir ce que vous désirez. Sous votre influence, les autres se transforment ou changent d'avis sans même s'en rendre compte. C'est très fort, et c'est plus fort que vous. Question de doigté...

Leader ou pas leader, « that is the question »... L'essentiel est d'être à la bonne place. C'est-à-dire que la place que vous occupez socialement doit correspondre à votre tempérament. Il est temps de vous y atteler si tel n'est pas le cas.

2. SAVEZ-VOUS VOUS PASSER DES AUTRES ?

Leur avis vous importe, ou vous décidez tout seul de ce qui est bon pour vous. L'autonomie se gagne. D'abord, l'autonomie physique de l'enfant, qui devient capable de se déplacer et de se nourrir seul.

On peut aller plus loin. On peut vivre l'essentiel de son existence en se basant sur ses propres désirs et non sur les désirs d'autrui.

L'essentiel n'est pas d'être conforme à une image idéale de soi, mais d'être en accord avec ses souhaits les plus profonds. Découvrez ici ce qu'il en est pour vous-même...

2 - SAVEZ-VOUS VOUS PASSER DES AUTRES : TEST

1. Vous avez une démarche désagréable à accomplir, que faites-vous ?

- ☐ a - vous entraînez avec vous un complice pour vous aider,
- ☐ b - vous trouvez un prétexte pour déléguer quelqu'un à votre place,
- ☐ c - vous aimeriez trouver un complice pour vous aider, mais vous n'osez pas demander.
- ☐ d - vous trouvez que vous en aurez plus vite fini seul.

2. Que pensez-vous de la phrase « loin des yeux loin du cœur » ?

- ☐ a - c'est amusant mais pas forcément vrai,
- ☐ b - c'est tout à fait juste,
- ☐ c - c'est ridicule et archi-faux,
- ☐ d - c'est parfois exact, hélas !

3. Quand il s'agit de prendre une décision importante :

- ☐ a - vous décidez en fonction de la majorité,
- ☐ b - vous seul pouvez être bon juge,
- ☐ c - vous prenez conseil à titre indicatif,
- ☐ d - vous pensez que les conseilleurs ne sont pas les payeurs.

4. Avez-vous très peur de la solitude ?

- ☐ a - cela peut vous arriver,
- ☐ b - oui, beaucoup,
- ☐ c - oui, assez, mais vous ne l'avouez jamais,
- ☐ d - non, pas du tout.

5. Vous vous retrouvez seul pendant un week-end férié. Que faites-vous ?

☐ a - vous en profitez pour faire du rangement,
☐ b - vous téléphonez fébrilement à n'importe qui,
☐ c - vous en profitez pour vous relaxer tranquillement,
☐ d - vous téléphonez à un vieux copain pour le voir.

6. Avez-vous souvent l'impression que les gens sont « collants » ?

☐ a - non, jamais,
☐ b - cela peut arriver,
☐ c - oui, très souvent,
☐ d - vous n'y avez jamais pensé.

7. Pour vous, l'amour c'est :

☐ a - partager les mêmes joies,
☐ b - être unis pour la vie,
☐ c - ne jamais se séparer,
☐ d - un bout de chemin à faire ensemble.

8. Si vous vous sentez en minorité d'esprit dans un groupe :

☐ a - vous vous faites discrètement oublier,
☐ b - furieux, vous partez,
☐ c - vous élevez le ton pour faire entendre votre point de vue,
☐ d - vous restez fidèle à vos convictions.

9. Un intime vous fait part d'une grande joie qu'il vient de vivre :

☐ a - vous l'écoutez poliment mais ça ne vous concerne pas,

☐ b - vous revivez avec lui ce moment merveilleux,

☐ c - vous n'avez pas envie d'en entendre parler,

☐ d - vous lui racontez ce qui vient de vous arriver à vous.

10. Vos amis sont plutôt :

☐ a - rares et de longue date,

☐ b - quelques vieux copains,

☐ c - un (ou une) seul ami intime,

☐ d - des relations nombreuses et variées.

Stop. Maintenant calculez vos résultats dans les colonnes suivantes :

	I	II	III	IV
1	d	a	b	c
2	b	a	d	c
3	b	d	c	a
4	d	a	c	b
5	c	a	d	b
6	c	b	d	a
7	d	a	b	c
8	d	b	c	a
9	d	c	a	b
10	d	b	c	a

VOS RÉSULTATS

Si vous avez obtenu un maximum de réponses dans la colonne I :

Votre indépendance tient une place essentielle pour vous. Vous avez pris l'habitude de compter avant tout et surtout sur vous-même. Vous aimez décider sans demander l'avis de personne. Votre esprit très rapide fait la synthèse d'une situation et en tire une conclusion immédiate. Dans ces conditions, pourquoi demander des avis ? Cela ne vous vient pas à l'idée. Cela ne vous empêche pas, d'ailleurs, de savoir vous entourer. Vous n'êtes pas un ours solitaire, loin de là. Mais vous entendez rester seul maître à bord.

Si vous avez obtenu un maximum de réponses dans la colonne II :

Vous savez parfaitement bien vous passer des autres et de leurs avis. Mais vous avez tendance, avant de décider quoi que ce soit, à faire un tour d'horizon des opinions des personnes proches. On ne sait jamais, ça peut toujours servir. Cela peut vous faire paraître influençable. Mais il n'en est rien. En fin de compte, vous choisissez toujours de faire comme vous l'entendez. Votre volonté de fer est bien cachée sous des dehors malléables. D'ailleurs, malgré les apparences, rares sont ceux qui peuvent pénétrer dans votre jardin secret... Les autres, d'accord, mais jusqu'à un certain point seulement !

Si vous avez obtenu un maximum de réponses dans la colonne III :

Comment vous passer réellement des autres alors que vous entretenez avec tout le monde des relations passionnelles ? Incapable d'être indifférent, même avec ceux que vous connaissez fort peu, vous comptez beaucoup sur les autres. Que ce soit dans le travail, en amour ou en amitié, vous attendez beaucoup d'eux. En échange, vous donnez d'ailleurs beaucoup, vous avez un petit côté mission-naire. Et quand vous devez décider, vous demandez l'avis de tout le monde avant de vous faire une opinion. Votre impact sur votre entourage est énorme, et vous le savez d'ailleurs !

Si vous avez obtenu un maximum de réponses dans la colonne IV :

Vous ne songeriez pas une seconde à vous passer des autres, quelle horreur ! Leur présence compte beaucoup pour vous. Vous détestez agir seul, vous êtes le contraire du navigateur solitaire. Vous, ce que vous aimez, c'est l'équipe, la chaleureuse convivialité d'un groupe. Il vous faut tout votre monde autour de vous pour fonctionner agréable-ment. Vous tenez compte des avis, des conseils. Vous en redemandez, et vous en prodiguez aussi à la première occasion. Ce qui ne veut pas dire que vous ne comptez pas aussi sur vous-même. Mais uniquement quand vous ne pouvez pas faire autre-ment.

L'autonomie est importante dans la vie de tous les jours. Si partager est un plaisir, il est bon de ne pas se sentir complètement démuni quand la chaleur des autres vient à manquer. A vous de savoir bien vous entourer et de savoir aussi vous suffire à vous-même pour l'essentiel.

3. ÊTES-VOUS UN PARFAIT GOUJAT ?

Usez-vous et abusez-vous des autres ? Vous sont-ils des objets, des faire-valoir, des passe-temps, bref, tout, sauf des individus doués de sensibilité ?...

Êtes-vous doué pour n'en faire aucun cas ?

Faites ici un petit examen de conscience — en y mettant un peu d'humour, s.v.p. — et regardez-vous dans le blanc des yeux...

3 - ÊTES-VOUS UN PARFAIT GOUJAT : TEST

1. Vous venez de faire l'amour. Vous lui dites :

☐ a - ça, c'est du professionnalisme !
☐ b - pas mal. Peut mieux faire.
☐ c - ah, ça va mieux !
☐ d - quand je vais raconter ça aux copains...

2. Un copain vous a prêté de l'argent. Il vient vous réclamer la somme, que faites-vous ?

☐ a - vous pleurez misère,
☐ b - vous faites celui qui ne se souvient de rien,
☐ c - vous lui demandez s'il a un papier signé de votre main,
☐ d - vous en profitez pour lui demander un autre prêt.

3. Elle décommande à la dernière minute le dîner aux chandelles que vous aviez prévu. Quelle est votre réaction ?

☐ a - vous lui dites que ce n'est pas grave parce que vous n'en aviez pas tellement envie non plus,
☐ b - vous lui annoncez que vous invitez sa meilleure amie à la place,
☐ c - vous remballez tout soigneusement pour le lendemain soir,
☐ d - vous la menacez de ne plus jamais la revoir.

4. Quand une femme ne vous plaît plus, vous lui dites :

☐ a - je me marie la semaine prochaine,
☐ b - finalement, je préfère les garçons,
☐ c - je pars seul au Club Méditerranée,
☐ d - je ne suis pas assez bien pour toi.

5. Quand vous étiez petit, vous préfériez :

- ☐ a - votre père,
- ☐ b - votre mère,
- ☐ c - votre maîtresse d'école,
- ☐ d - personne en particulier.

6. Parmi ces phrases, laquelle pourrait être la vôtre :

- ☐ a - la vie est courte, profitons-en,
- ☐ b - l'homme est un loup pour l'homme,
- ☐ c - connais-toi toi-même,
- ☐ d - qui veut voyager loin ménage sa monture.

7. Vous vous réveillez avec la conquête de la veille, que faites-vous ?

- ☐ a - vous lui demandez comment elle s'appelle,
- ☐ b - vous ne lui demandez pas son nom,
- ☐ c - vous lui dites : « Thé ou café » ?
- ☐ d - vous partez en lançant : « À bientôt, peut-être ».

8. Un ami vous a fait du tort. Quelle est votre réaction ?

- ☐ a - vous lui en faites encore plus,
- ☐ b - ça ne peut pas arriver : vous n'avez pas d'amis,
- ☐ c - vous lui mitonnez une vengeance à votre façon,
- ☐ d - vous enragez, et puis vous oubliez.

9. Pour vous, le pire serait de :

- ☐ a - être pris pour un naïf,
- ☐ b - perdre la face,
- ☐ c - vous apercevoir qu'elle vous trompe,
- ☐ d - avoir envie d'être fidèle.

10. Quand une femme vous plaît, vous pensez :

☐ a - dans une heure, je n'y penserai plus,
☐ b - c'est maintenant ou jamais,
☐ c - méfiance, toutes les mêmes...
☐ d - une de plus à ajouter sur ma liste.

Stop. Maintenant calculez vos résultats dans les colonnes suivantes :

	I	II	III	IV
1	a	b	c	d
2	c	d	b	a
3	b	a	d	c
4	a	b	c	d
5	d	a	c	b
6	b	a	d	c
7	b	a	d	c
8	b	a	c	d
9	d	b	c	a
10	d	a	b	c

VOS RÉSULTATS

Si vous avez obtenu un maximum de réponses dans la colonne I :

Plus goujat que vous, ça semble impossible ! Et si on ne vous l'a jamais dit, c'est que personne n'a osé. On aurait dû, d'ailleurs, car ça vous aurait amusé. En effet, vous trouvez drôle de jouer les malotrus. C'est ce qui vous sauve : l'humour. Désinvolte et hypocrite, subtil et prompt à saisir les travers des autres, vous ne vous embarrassez pas de principes. Vous faites et dites ce que bon vous semble... et tant pis si vous laissez des cadavres derrière vous, ou dans le placard. Mais on ne peut pas vous en vouloir... car vous êtes tellement drôle !

Si vous avez obtenu un maximum de réponses dans la colonne II :

Oui, on vous a sans doute déjà accusé d'être un goujat. Et vous en avez été tout étonné. Ne vous étonnez plus : vous n'êtes pas vraiment un parfait goujat, non... mais vous ne savez pas dissimuler vos pensées. Vous en êtes incapable, c'est tout. Ignorant toute diplomatie, vous avez coutume de dire tout haut ce que tout le monde pense tout bas. Ça fait parfois l'effet d'une bombe. Mais vous ne vous en souciez pas. Votre luxe, c'est de faire comme bon vous semble... Cela vous réussit plutôt bien... mais faites quand même attention aux retombées...

Si vous avez obtenu un maximum de réponses dans la colonne III :

Loin de vous l'idée d'être un parfait goujat ! Ce n'est pas du tout l'image de marque que vous souhaitez donner. C'est justement pour cela que vous êtes un peu dangereux : vous êtes très doué pour la manipulation. Vous savez très bien donner de vous l'image qui convient, et vous savez aussi tout obtenir des autres. Difficile de vous résister... vous êtes tellement charmeur. Vous maniez les gens avec un art consommé du discours. Et du coup, vous les conduisez par le bout du nez sans même qu'ils s'en rendent compte. Mais l'idée que cet art pourrait se rapprocher de la définition qu'on donne du malotru ne vous effleure même pas !

Si vous avez obtenu un maximum de réponses dans la colonne IV :

Décidément, vous n'êtes pas du tout goujat. Vous avez peut-être essayé, dans le temps... mais ça ne vous inspirait pas du tout. Être un malotru vous fatigue, et d'ailleurs vous ne les aimez pas. De toutes façons, vous ne supportez pas de faire de la peine à qui que ce soit. Si cela vous arrive, c'est toujours par inadvertance et vous mettez un temps fou à vous en remettre. Vous, vous êtes plutôt du style bon nounours... et c'est ce qui assure votre succès. Qui ne craquerait pas devant votre gentillesse ? C'est d'ailleurs peut-être votre arme la plus redoutable...

« No comment », *dirait Serge Gainsbourg.*

4. SAVEZ-VOUS COMMUNIQUER ?

Nous vivons à l'ère de la communication. Communiquer, c'est savoir « mettre en commun » une information, une idée, un message, un sentiment.

C'est donc une partie qui se joue à deux — ou à plusieurs. Voilà pourquoi elle demande un mélange subtil de dispositions. Il faut à la fois être capable de créer le contact et être disponible à celui qui vient vers vous. Il faut en même temps pouvoir s'exprimer mais aussi avoir une bonne écoute de l'autre.

Êtes-vous de ceux qui savent partager et créer un vrai dialogue ?

4 - SAVEZ-VOUS COMMUNIQUER : TEST

1. Au cours d'un trajet en train :

☐ a - vous engagez la conversation,
☐ b - vous vous plongez dans un livre,
☐ c - vous espérez qu'un voisin va vous adresser la parole.

2. Pour vos loisirs, vous préférez :

☐ a - les mots croisés ou les promenades solitaires,
☐ b - être invité chez des amis qui ont organisé des jeux de société,
☐ c - organiser vous-même des soirées animées.

3. Vous faites partie d'une association :

☐ a - vous répondez volontiers à un inconnu,
☐ b - vous ne parlez qu'à deux ou trois personnes que vous connaissez,
☐ c - vous allez de l'un à l'autre et créez de nouveaux contacts.

4. Vous apercevez dans la rue une vague connaissance :

☐ a - vous changez de trottoir,
☐ b - vous allez au devant d'elle,
☐ c - vous espérez qu'elle va vous reconnaître et vous aborder.

5. Vous sortez d'une discussion :

☐ a - furieux de ne pas avoir dit l'essentiel,
☐ b - avec l'impression pénible d'avoir « pataugé »,
☐ c - ragaillardi par cette bonne discussion que vous avez bien menée.

6. Vous êtes confronté à un grave problème :

☐ a - vous ruminez, seul chez vous,
☐ b - vous vous en ouvrez à votre meilleur ami car « de la discussion jaillit la lumière »,
☐ c - devant l'insistance de votre ami, vous finissez par vous confier et vous en êtes soulagé.

7. Vous sentez que quelqu'un a besoin de s'épancher :

☐ a - vous essayez de l'aider à se confier,
☐ b - vous prétextez un rendez-vous et partez,
☐ c - vous parlez d'un ton badin en attendant qu'il se décide.

8. Vous avez une requête à faire auprès d'un supérieur :

☐ a - vous passez trois fois devant sa porte avant de frapper,
☐ b - vous préparez l'entretien avec soin pour être sûr de bien vous exprimer,
☐ c - pas de problème ! Vous créez un climat favorable et répondez aimablement aux objections.

9. Au premier contact, quelqu'un vous a déplu. Vous êtes amené à le revoir :

☐ a - mal à l'aise, vous acceptez le dialogue,
☐ b - vous engagez la conversation car la première impression n'est pas toujours la bonne,
☐ c - vous évitez de rester seul avec lui.

10. Aimez-vous mieux :

☐ a - écouter l'autre en silence,
☐ b - parler tandis qu'on vous écoute,
☐ c - un dialogue équilibré où chacun s'exprime et sait écouter l'autre.

Stop. Maintenant calculez vos résultats dans les colonnes suivantes :

	I	II	III
1	a	c	b
2	c	b	a
3	c	a	b
4	b	c	a
5	c	b	a
6	b	c	a
7	a	c	b
8	c	b	a
9	b	a	c
10	c	b	a

VOS RÉSULTATS

Si vous avez obtenu un maximum de réponses dans la colonne I :

Pour vous, la communication est essentielle et vous y êtes passé maître. Vous êtes toujours ouvert au dialogue et vous savez aussi bien mettre les autres en confiance qu'exprimer vos propres sentiments. Tout chez vous est « expression » : la parole, le geste, l'action, la mobilité du visage et cela vous donne sans nul doute un certain charisme. Mais votre recherche constante des autres est sans doute aussi liée à une quête de votre identité propre. Communiquer, c'est affirmer votre existence ! Vos heures de solitude doivent être bien pénibles.

Si vous avez obtenu un maximum de réponses dans la colonne II :
Communiquer, vous ne demandez pas mieux. Mais une certaine pudeur vous retient, à moins que ce ne soit un manque de confiance en vous. Vous avez pourtant tous les atouts pour vous : une bonne écoute, de l'aisance dans l'élocution, l'ouverture aux autres. Il vous arrive même d'être brillant. D'où vient donc ce malaise qui vous saisit par moments ?

Si vous avez obtenu un maximum de réponses dans la colonne III :
Vous avez manifestement dressé une barrière entre vous et les autres. De quoi vous protégez-vous donc ? L'homme n'est pas toujours un loup pour l'homme. D'ailleurs ce repli sur vous-même risque de ne vous apporter que souffrance et échec. Il faut vous mettre en valeur car vous le méritez. Sachez vous faire reconnaître pour ce que vous êtes. Inté-ressez-vous davantage aux autres au lieu de vous enfermer dans votre tour d'ivoire. Vous découvrirez les joies profondes d'une vraie communication.

Communiqués de presse :

— le travail a repris ce matin aux usines Tic-Tac après un dialogue ouvert entre...

— un sondage révèle que le manque de dialogue et de communication entre conjoints est à l'origine de plus de 50 % des divorces...

— après une guerre froide de 15 mois, les deux puissances ont accepté d'ouvrir à nouveau les négociations. L'espoir renaît de trouver une solution à ce douloureux problème qui...

5. CHOIX DE VIE, CHOIX DE CARRIÈRE

C'est l'ère de la mobilité. La carrière est devenue un choix permanent. Qui dit choix, dit aussi, bien sûr, renoncement. Or, si le cadre choisit en connaissance de cause, il n'ignore pas, en général, ce à quoi il renonce. Non seulement sur le plan professionnel, mais aussi sur le plan personnel, tant il est vrai que les deux sont étroitement liés.

Il semble donc que la première question à se poser, pour bien conduire le « char » de son évolution dans le monde du travail, réside dans le rapport que le manager établit entre ces deux plans.

Un choix de carrière est aussi un choix de vie.

Derrière les apparences, en dépit des réalités, quel est votre choix profond ?
Êtes-vous de ceux pour qui le milieu de travail est primordial ?
Pensez-vous que l'argent est la clef de la vie moderne ?
Avez-vous un besoin irrépressible de créer un équilibre harmonieux entre réussite et vie privée ?
Ou seriez-vous incapable d'établir une coupure entre le travail et la vie quotidienne ?

Avant de franchir une nouvelle étape, il est essentiel pour vous, de vous positionner. Afin de vous y aider, nous vous proposons ce test qui vous éclairera sur la relation que vous faites entre le choix d'une vie, et le choix d'une carrière.

5 - CHOIX DE VIE, CHOIX DE CARRIÈRE : TEST

1. Pour vous la réussite se diagnostique par :

- ☐ a - la carte de visite,
- ☐ b - le compte en banque,
- ☐ c - le carnet d'adresses,
- ☐ d - le plaisir de se réveiller le matin.

2. Un bon manager...

- ☐ a - doit savoir accomplir les petites tâches,
- ☐ b - s'intéresse à l'ensemble du travail et aux problèmes de chacun,
- ☐ c - ne perd pas son temps à des détails,
- ☐ d - perd son crédit en accomplissant de petites tâches.

3. Laquelle de ces figures préférez-vous ?

- ☐ a -
- ☐ b -
- ☐ c -
- ☐ d -

4. Pour arriver à vous débaucher, il faut :

- ☐ a - vous garantir un meilleur salaire,
- ☐ b - vous proposer un job dans le milieu qui vous attire,
- ☐ c - des horaires souples,
- ☐ d - une forte liberté d'action.

5. Dans le choix de vos amis, vous avez tendance à :

- ☐ a - aimer parler travail avec eux,
- ☐ b - préférer ceux qui ont un train de vie comparable au vôtre,
- ☐ c - faire partie d'un clan,
- ☐ d - ne pas les mélanger avec votre vie professionnelle.

6. Si votre job ne vous plaît plus :

☐ a - vous en parlez chaque fois que vous en avez l'occasion,

☐ b - vous essayez d'analyser ce qu'il vous laisse comme liberté,

☐ c - vous craignez de descendre dans l'échelle des salaires,

☐ d - vous songez à vous lancer.

7. Lequel de ces quatre mots vous inspire le plus :

☐ a - symétrie,

☐ b - symbole,

☐ c - symbiose,

☐ d - système.

8. Même si vous ne les connaissez pas, quel titre de chanson vous inspire le plus ?

☐ a - *Avec le temps*, de Léo Ferré,

☐ b - *La valse à mille temps*, de Jacques Brel,

☐ c - *Le temps des cerises*, de Jean-Baptiste Clément,

☐ d - *Le temps des uns, le temps des autres*, de Charles Aznavour.

9. Pour vous une équipe de travail :

☐ a - c'est surtout une famille,

☐ b - ce n'est surtout pas une famille,

☐ c - c'est un groupe de production,

☐ d - c'est surtout une ambiance.

10. Vous êtes sur le point de changer de job :

☐ a - cela vous donne une impression d'envol,

☐ b - vous êtes content d'avoir tranché,

☐ c - quelle angoisse !

☐ d - vous faites des projets pour votre nouvelle vie.

Stop. Maintenant calculez vos résultats dans les colonnes suivantes :

	I	II	III	IV
1	c	b	a	d
2	d	c	a	b
3	d	a	b	c
4	b	a	c	d
5	c	b	d	a
6	a	c	b	d
7	d	b	a	c
8	d	a	c	b
9	b	c	d	a
10	a	d	b	c

VOS RÉSULTATS

Si vous avez obtenu un maximum de réponses dans la colonne I :

Vous savez vous introduire là où vous voulez et vous faire une place de choix. Une fois admis, vous cultivez les relations qu'il faut pour stabiliser votre position. Ce qui est fondamental pour vous, c'est d'appartenir à un milieu, un groupe, voire un clan. Cela vous permet de vous positionner socialement et de vous épanouir sur le plan personnel. Vous êtes fier de connaître du monde, vous savez mettre les gens en contact. Vous êtes doué pour vous faire des relations.

Votre choix de carrière se fonde incontestablement sur le milieu. Saurez-vous fidéliser tous ces noms qui figurent sur votre carnet d'adresses ?

Si vous avez obtenu un maximum de réponses dans la colonne II :

Disons-le carrément : votre carrière se mesure à ce que vous « valez », au sens américain du terme. Le nombre de zéros avant la virgule des décimales détermine pour vous votre valeur marchande. Vous avez tendance à vous mépriser tant que vous n'avez pas atteint le niveau de revenus que vous vous êtes fixé, à être jaloux de ceux qui « arrivent » plus vite que vous. Vous ne pouvez pas vous empêcher de faire des comparaisons : cela vous stimule et vous permet de vous dépasser.

Si vous avez obtenu un maximum de réponses dans la colonne III :

La réussite professionnelle s'accompagne pour vous d'une stabilité affective et d'un temps de loisir indispensable. Votre personnalité riche vous pousse à une diversité d'activités et vous savez accorder à chacun de ces plans une énergie et une disponibilité. Ce que vous recherchez est un équilibre de la personne toute entière. Vie de famille et travail, loisir et argent, amis et relations. Les uns ne vont pas sans les autres. Vous savez cloisonner et ne pas vous laisser envahir par vos occupations professionnelles, que vous accomplissez cependant avec sérieux dans le temps que vous leur consacrez.

Si vous avez obtenu un maximum de réponses dans la colonne IV :

Vous êtes vous-même vingt-quatre heures sur vingt-quatre, et vous êtes incapable de faire une distinction entre vos diverses activités. Pour vous, le travail est autant un moyen d'expression que votre vie privée, les deux plans ne peuvent être dissociés dans votre esprit. Vous travaillez aisément avec vos amis. Vos relations professionnelles deviennent souvent des relations intimes. En effet, vous êtes de ceux qui pensent que l'amitié s'enrichit des activités de travail, et réciproquement. Vous êtes aussi à l'aise pour téléphoner de votre lit que de votre bureau. Les gens qui cloisonnent leur vie vous déroutent ou vous agacent. C'est un choix qui vous appartient, le plus difficile étant de trouver une activité qui vous permette d'ajuster votre tempérament, vos compétences, et l'univers du travail.

QUATRIÈME PARTIE

L'ENFANT QUI EST EN VOUS

L'enfance, et même la prime enfance, constitue une étape capitale dans la vie de tout individu. Elle laisse des traces profondes qui jouent un rôle plus ou moins positif dans notre vie d'adulte.

Dans quelle mesure sommes-nous tous restés de « grands enfants » :
— à la curiosité insatiable,
— accrochés aux jupes de maman,
— narcissiques par nécessité de construire notre identité propre.

Dans quelle mesure avons-nous réussi à assimiler notre passé pour vivre pleinement le présent et préparer l'avenir ?

Dans quelle mesure nos paroles spontanées révèlent-elles aux autres l'inconnu que nous sommes à nous-mêmes ?

1. ÊTES-VOUS CURIEUX ?

Dès son plus jeune âge, l'enfant manifeste sa curiosité. Progressivement il découvre son corps, les
formes, les couleurs, les sons. Cette curiosité est la
base même de son apprentissage de la vie, de son
enrichissement intellectuel et culturel. Grâce à cette
curiosité inhérente à l'être humain, l'homme n'a
cessé de progresser et d'améliorer ses conditions de
vie.

Mais attention, la curiosité peut aussi vous amener
à une trop grande dispersion et à la superficialité,
elle peut au contraire centrer tout votre intérêt sur
un seul sujet et ainsi vous fermer au monde, comme
elle peut vous conduire à refuser par définition tous
les principes acquis.

1 - ÊTES-VOUS CURIEUX : TEST

1. Selon vous, le corps humain est :
- ☐ a - un instrument à utiliser au mieux,
- ☐ b - un objet plein de mystère,
- ☐ c - une merveilleuse machine qui suscite votre admiration,
- ☐ d - une enveloppe de l'âme.

2. Vous achetez un objet :
- ☐ a - vous vous intéressez surtout à son esthétique,
- ☐ b - vous êtes surtout intéressé par son utilité,
- ☐ c - vous avez besoin d'en comprendre le principe et de le démontrer au besoin,
- ☐ d - vous vous intéressez surtout à son côté unique et original.

3. Lorsque vous allez au spectacle, vous vous intéressez :
- ☐ a - à la psychologie des personnages ou des acteurs,
- ☐ b - vous cherchez à vous distraire loin de vos préoccupations,
- ☐ c - vous vérifiez si vous êtes d'accord avec les critiques,
- ☐ d - le décor, les éclairages, les techniques de scène vous passionnent.

4. La première fois que vous rencontrez quelqu'un, qu'est-ce qui vous frappe le plus dans cette personne ?
- ☐ a - ce qu'elle dit,
- ☐ b - son physique,
- ☐ c - les vêtements qu'elle porte,
- ☐ d - sa façon de bouger et de marcher.

5. Vous pensez que vous êtes plutôt :

- ☐ a - scientifique,
- ☐ b - artiste,
- ☐ c - manuel,
- ☐ d - doué pour les problèmes pratiques.

6. Vous pensez que la psychanalyse est :

- ☐ a - une masturbation intellectuelle,
- ☐ b - une escroquerie,
- ☐ c - une recherche intéressante,
- ☐ d - une expérience passionnante à faire.

7. Lorsque vous écrivez à des proches :

- ☐ a - vous vous efforcez de trouver le mot juste qui exprime parfaitement ce que vous voulez dire,
- ☐ b - vous cherchez surtout à trouver une tournure originale,
- ☐ c - vous vous attachez à transmettre une impression,
- ☐ d - vous écrivez le minimum nécessaire.

8. Dans une soirée avec des amis, ceux-ci commencent à refaire le monde. Quelle est votre réaction ?

- ☐ a - vous y participez activement,
- ☐ b - vous allez vous préparer une boisson à la cuisine,
- ☐ c - vous les écoutez en attendant que ça se passe,
- ☐ d - vous en profitez pour développer vos nombreuses idées.

9. Vous êtes plutôt attiré par :

☐ a - les jeux qui impliquent une communication (cartes),
☐ b - les jeux de recherche intellectuelle (échecs, jeu de go),
☐ c - le sport,
☐ d - les jeux qui se pratiquent seul (réussites, solitaire).

10. Vous avez un repas à préparer :

☐ a - vous suivez la recette du livre à la lettre,
☐ b - vous vous inspirez de la recette du livre,
☐ c - vous inventez vous-même une recette iné-dite,
☐ d - vous réalisez un mélange de plusieurs recettes.

Stop. Maintenant calculez vos résultats dans les colonnes suivantes :

	I	II	III	IV
1	c	b	d	a
2	c	d	a	b
3	d	a	c	b
4	d	a	b	c
5	a	b	c	d
6	d	c	a	b
7	b	a	c	d
8	d	a	c	b
9	b	a	c	d
10	c	d	b	a

VOS RÉSULTATS

Si vous avez obtenu un maximum de réponses dans la colonne I :

Indéniablement, vous êtes curieux comme une pie ! Insatiable découvreur, vous marchez toujours hors des sentiers battus. Tout ce qui est nouveau vous passionne. Tout ce que vous ne connaissez pas vous intéresse. Très « branché » vers l'extérieur, vous vous passionnez pour les problèmes des autres. En même temps, remarquable psychologue, vous savez débrouiller leurs problèmes... avant de repartir vers d'autres découvertes. Attention, votre inlassable curiosité ne vous permet pas d'approfondir assez les choses... Remarquez, c'est normal : vous êtes toujours à la recherche d'un ailleurs !

Si vous avez obtenu un maximum de réponses dans la colonne II :

Votre curiosité à vous... c'est surtout le permanent désir de ne pas faire comme tout le monde. Autrement dit, votre curiosité est teintée de snobisme. Toute chose d'avant-garde ou considérée comme telle vous intéresse d'emblée. L'excentricité sous toutes ses formes vous attire... avec excès, parfois. Mais vous êtes tellement enthousiaste qu'on aurait du mal à vous le reprocher ! De toutes façons, vous êtes persuadé que vous pouvez toujours transformer le quotidien. Pour ce faire, vous ne craignez pas d'innover. C'est souvent risqué, mais toujours intéressant !

Si vous avez obtenu un maximum de réponses dans la colonne III :

Très impulsif, vous êtes curieux dans la mesure où vous vous laissez séduire. Un climat, une ambiance étrange... et vous voilà avide de tout connaître. Il

139

suffit de toucher le point sensible en vous... sinon, votre indifférence est infinie. La routine vous afflige et vous rend morose. Seul un piment inconnu peut parvenir à éveiller votre curiosité. Mais alors là, quels ravages ! Vous foncez, galvanisé à l'idée de découvrir. Découvrir quoi ? Dieu seul le sait, mais vous vous en fichez : ce qui compte, c'est l'instant. Laissez-vous griser plus souvent par la curiosité, elle vous réussit très bien...

Si vous avez obtenu un maximum de réponses dans la colonne IV :

N'êtes-vous pas un peu trop réaliste pour être vraiment curieux ? Vous avez toujours une explication rationnelle à opposer aux événements. Ça ne pousse pas vraiment à la curiosité. Pourtant, la nouveauté vous attire, mais seulement de temps en temps. Vous ne répugnez pas à découvrir de nouveaux horizons, car ça vous motive. Mais vous freinez toujours, et c'est dommage ! Votre grande crainte serait de vous laisser berner. Ou de prendre des vessies pour des lanternes ! Soyez moins méfiant...

Que vous soyez papillon, marginal par principe, opportuniste ou trop routinier, rassurez-vous, vous êtes sur la bonne voie... puisque vous avez déjà la première des curiosités : celle de vous connaître vous-même.

2. ÊTES-VOUS UN FILS À MAMAN ?

Même si la mère n'est pas physiquement présente dans la vie, son besoin peut subsister à l'âge adulte. Alors, nous nous donnons des mères de substitution. Les secrétaires en savent quelque chose !

Vivez-vous encore — même symboliquement — dans les jupes de votre mère ? Êtes-vous ce qu'il est convenu d'appeler un fils à maman, immature et quelque peu gâté ?

2 - ÊTES-VOUS UN FILS À MAMAN : TEST

1. Ce qui vous attire surtout chez une femme :

- ☐ a - ses yeux,
- ☐ b - ses cheveux,
- ☐ c - ses seins,
- ☐ d - ses jambes.

2. Ce que vous reprochez surtout aux femmes :

- ☐ a - leur besoin de sécurité,
- ☐ b - leur infidélité,
- ☐ c - leur frivolité,
- ☐ d - leur hypocrisie.

3. Parmi ces quatre sports, lequel pratiqueriez-vous volontiers ?

- ☐ a - le jogging,
- ☐ b - le tennis,
- ☐ c - le rugby,
- ☐ d - le ping-pong.

4. Qu'avez-vous tendance à faire quand vous voulez séduire une femme ?

- ☐ a - vous attendez qu'elle vous remarque,
- ☐ b - vous vous jetez à sa tête,
- ☐ c - vous lui envoyez des fleurs,
- ☐ d - vous la fuyez.

5. Vos fantasmes sexuels :

- ☐ a - vous violez une inconnue,
- ☐ b - vous faites l'amour avec plusieurs femmes,
- ☐ c - vous prenez un bain parfumé avec une geisha,
- ☐ d - vous n'avez jamais eu de fantasmes.

6. Quand vous étiez enfant, vous trouviez votre mère :

☐ a - très distante,
☐ b - très nerveuse,
☐ c - très colérique,
☐ d - très accaparante.

7. La femme que vous aimez, vous l'avez choisie surtout parce que :

☐ a - elle a du « sex-appeal »,
☐ b - elle est intelligente,
☐ c - elle est douce,
☐ d - elle ne peut pas se passer de vous.

8. Avec la femme que vous aimez, vous avez tendance à :

☐ a - lui faire des scènes pour mettre un peu de piquant,
☐ b - ne jamais faire de scène, ça vous fatigue,
☐ c - lui en demander trop,
☐ d - ne pas lui en demander assez.

9. Ce que vous ne pardonneriez pas à votre femme :

☐ a - de flirter avec votre meilleur ami,
☐ b - de gagner plus d'argent que vous,
☐ c - de vous faire la tête,
☐ d - d'oublier de repasser vos chemises.

10. Selon vous, une femme c'est :

☐ a - un compagnon de route,
☐ b - un havre de paix,
☐ c - une magicienne,
☐ d - un démon.

Stop. Maintenant calculez vos résultats dans les colonnes suivantes :

	I	II	III	IV
1	c	d	b	a
2	b	c	d	a
3	d	b	a	c
4	a	d	c	b
5	d	c	b	a
6	d	b	c	a
7	d	c	b	a
8	c	b	d	a
9	d	c	a	b
10	c	d	b	a

VOS RÉSULTATS

Si vous avez obtenu un maximum de réponses dans la colonne I :

Plus fils à maman que vous... ça n'existe pas ! C'est fou comme vous êtes encore attaché à votre mère. Vous a-t-elle envoûté par sa bonté, sa beauté ou ses talents de femme d'intérieur ? Ou par tout cela à la fois ? Mystère... Mais quoi qu'il en soit, elle représente pour vous le modèle de la femme idéale, devant laquelle aucune femme ne peut gagner. C'est elle votre ultime refuge, et vous lui donnez secrètement toujours raison. Alors attention à toutes celles qui veulent vous conquérir : elles auront du mal à être à la hauteur.

Si vous avez obtenu un maximum de réponses dans la colonne II :

Il y a pire que vous dans le genre, mais vous êtes quand même resté assez fils à maman, même si vous vous en défendez. Vous avez tendance à envisager toutes les femmes comme une mère potentielle. Seule celle qui le comprendra complètement sera agréée par vous. Du calme, de la douceur, un havre de paix, voilà ce que vous souhaitez. Vous ne pouvez épouser que la stabilité. Vous aurez toujours besoin d'un foyer comme « quand vous étiez petit ». Vous n'oublierez jamais le chocolat du matin servi avec des tartines. Cela vous donne un côté tendre et rêveur qui n'est pas dépourvu de charme.

Si vous avez obtenu un maximum de réponses dans la colonne III :

Vous aimeriez bien vivre votre tendance fils à maman. Être chouchouté, dorloté et protégé ne vous déplaît pas. Mais vous luttez très fort contre ce goût, car vous trouvez que d'une part, ce n'est plus de votre âge, et d'autre part, ça ne fait pas sérieux. De toutes façons, vous n'aimez pas dépendre de la femme que vous aimez. Et quand vous avez besoin de câlins, vous pouvez toujours aller retrouver votre mère. Votre dignité souffrirait trop si vous vous laissiez aller à vous montrer vulnérable. Alors, stoïquement, vous vous montrez sous votre jour le plus digne, à la limite du macho, parfois...

Si vous avez obtenu un maximum de réponses dans la colonne IV :

Vous n'êtes pas du tout fils à maman. Vous en êtes plutôt tout le contraire. De toutes les manières, vous avez toujours préféré les jeux de piste dans les bois avec les copains aux causeries avec maman. Alors ce n'est pas à votre âge que vous allez changer... Vous ne rêvez que d'aventures et de projets d'ave-

nir. Tout ce qui vous rappelle le passé vous ennuie.
Vous n'avez aucun atome crochu avec les femmes
qui ont un comportement maternel. Vous préférez
de loin les vamps ou les pétroleuses. A vous l'aven-
ture et le goût du risque !

*Vous êtes de ceux qui chantent : « Être un homme
libéré, tu sais, c'est pas si facile »... Bravo pour votre
courage ! Il n'est pas donné à tous de le reconnaître !... Attention quand même de ne pas rendre la vie
impossible à votre femme.*

3. ÊTES-VOUS NARCISSIQUE ?

Être narcissique, ce n'est pas uniquement, comme le faisait Narcisse, adorer son propre reflet dans le miroir.

C'est aussi une certaine manière :

— de se prendre pour le nombril du monde,

— de vouloir séduire à tout prix,

— de posséder une bonne dose d'égoïsme,

— d'attacher une importance considérable à l'opinion des autres sur soi-même.

Jusqu'à quel point l'êtes-vous ?

3 - ÊTES-VOUS NARCISSIQUE : TEST

1. Si une bonne fée vous faisait don d'une des quatre choses suivantes, laquelle choisiriez-vous ?

☐ a - la fortune,
☐ b - l'amour,
☐ c - la beauté,
☐ d - la gloire.

2. Si votre meilleur ami (ou amie) vous reprochait d'être très égoïste, que penseriez-vous ?

☐ a - « il (ou elle) ne m'a jamais compris »,
☐ b - « il a raison, je vais m'efforcer d'être moins égoïste »,
☐ c - « il dit ça parce qu'il est en colère, ce n'est pas grave »,
☐ d - « après tout, être égoïste est mon droit le plus strict ».

3. Quelle est la qualité que vous préférez en vous-même ?

☐ a - votre faculté de séduction,
☐ b - votre faculté d'altruisme,
☐ c - votre faculté d'intelligence,
☐ d - votre faculté de diplomatie.

4. Vous vous voyez comme quelqu'un de :

☐ a - surtout hors du commun,
☐ b - surtout honnête,
☐ c - surtout séduisant,
☐ d - surtout agréable à vivre.

5. Vous préféreriez qu'on dise de vous :

☐ a - il (ou elle) a du charme,
☐ b - c'est un être d'une autre époque,
☐ c - il (ou elle) mène tout le monde par le bout du nez,
☐ d - il (ou elle) a un talent fou.

6. Vous flânez dans une rue animée, que faites-vous ?

☐ a - vous regardez les vitrines,
☐ b - vous regardez votre reflet dans les vitrines,
☐ c - vous regardez l'environnement,
☐ d - vous observez si les passants (ou passantes) vous remarquent.

7. Dans une relation amoureuse, ce qui compte le plus pour vous c'est :

☐ a - un échange physique épanouissant,
☐ b - l'estime réciproque,
☐ c - l'exclusivité que vous accorde votre partenaire,
☐ d - la passion que vous inspirez à votre partenaire.

8. Si on dit vous aimer pour votre beauté, quelle est votre réaction ?

☐ a - vous êtes stupéfait(e) parce que c'est très rare que ça vous arrive,
☐ b - vous n'y croyez pas,
☐ c - vous trouvez ça bien agréable,
☐ d - vous êtes satisfait parce que vous avez tout fait pour qu'on vous le dise.

9. S'il vous est arrivé de ne pas parvenir à séduire quelqu'un qui vous plaisait, quelle a été votre réaction ?

- ☐ a - vous avez jugé qu'il (ou elle) était un peu stupide,
- ☐ b - vous avez pensé que c'était de votre faute,
- ☐ c - vous vous êtes promis d'y arriver la prochaine fois,
- ☐ d - vous avez détesté la personne.

10. Pour vous, le comble de la misère serait :

- ☐ a - de ne plus intéresser personne,
- ☐ b - de perdre votre propre estime,
- ☐ c - de perdre votre dynamisme,
- ☐ d - de ne plus avoir envie de plaire.

Stop. Maintenant calculez vos résultats dans les colonnes suivantes :

	I	II	III	IV
1	d	c	a	b
2	d	a	c	b
3	a	d	c	b
4	a	c	d	b
5	c	a	d	b
6	b	d	a	c
7	d	c	a	b
8	d	c	b	a
9	a	d	c	b
10	a	d	c	b

VOS RÉSULTATS

Si vous avez obtenu un maximum de réponses dans la colonne I :

Oui, vous êtes vraiment très narcissique ! C'est tellement « trop » qu'on peut se demander si vous ne le faites pas exprès. Non seulement vous adorez votre propre image, mais vous faites tout pour que les autres l'adorent aussi. Cela exige d'ailleurs de vous du tonus, une grande obstination et pas mal de courage. Vous êtes très extraverti, le genre qui ne passe jamais inaperçu. Il vous faut séduire, conquérir, devenir le pôle d'attraction. Si vous n'y parvenez pas, vous déprimez. Mais c'est rare, car vous êtes suffisamment habile pour mener tout le monde par le bout du nez !

Si vous avez obtenu un maximum de réponses dans la colonne II :

Vous êtes un savant cocktail entre le narcissique et le distrait. Par moments, il vous arrive de vous admirer dans votre miroir et de n'agir qu'en fonction de votre ego. Vous devenez alors assez infréquentable : égocentrique, arrogant, et j'en passe. Mais heureusement, ça ne dure pas. Tout simplement parce que vous n'avez pas de suite dans les idées... et que vous passez d'un état d'âme à l'autre. Très « Savant Cosinus », vous avancez dans la vie comme sur un nuage. Autant dire qu'il y a pas mal de brouillard autour de vous... un mélange d'altruisme et de narcissisme.

Si vous avez obtenu un maximum de réponses dans la colonne III :

Vous ne vous appréciez pas assez pour être vraiment narcissique. Vous, c'est les autres qui vous passionnent. Vous projetez sur eux tout ce que vous aimeriez être. C'est une forme très élaborée de narcissisme, qui vous procure d'ailleurs bien des satisfactions. Vous vivez en observateur des autres. Vous savez percevoir, avant même qu'ils ne s'en rendent compte les sentiments les plus secrets de vos interlocuteurs. En revanche, votre propre image ne vous intéresse pas. Plus exactement, vous n'y prêtez pas attention. C'est ce qui fait votre force. Vous auriez pu être un remarquable diplomate ou un sublime attaché de presse.

Si vous avez obtenu un maximum de réponses dans la colonne IV :

Refaites le test, c'est trop beau : vous êtes l'oiseau rare, car vous n'offrez aucun symptôme de narcissisme ! Ce n'est pas courant... C'est probablement dû au fait que vous avez su garder le juste équilibre pour fonctionner agréablement sans être en proie aux affres d'un narcissisme galopant. Très organisé, vous avez su le gérer dès votre jeunesse. Un peu égoïste quand c'est indispensable, sachant manier la séduction quand il le faut, vous êtes diablement équilibré. D'où vous vient cette magnifique confiance en vous ? Mystère... En tout cas, on ne vous verra jamais vous morfondre devant votre miroir...

Vous avez une certaine tendance au narcissisme ? Allons, ne dramatisons pas : pour bien savoir aimer les autres, il faut s'aimer soi-même.
Attention, pourtant, si vous ne leur accordez que le rôle de « faire valoir », les autres risquent fort de vous laisser seul devant votre miroir ! Ce n'est pas ce que vous voulez, n'est-ce pas ?

4. AVEZ-VOUS RÉGLÉ VOS COMPTES AVEC LE PASSÉ ?

Nul n'échappe à son passé. Il est incontestable que votre personnalité d'aujourd'hui s'est fabriquée au fil des jours en fonction des expériences que vous avez vécues.

Mais ce passé reste plus ou moins présent en chacun de nous et influence différemment notre comportement et notre avenir.

Êtes-vous de ceux qui tirent profit de ses enseignements ?

Êtes-vous au contraire écrasé par un passé trop lourd qui vous bloque.

4 - AVEZ-VOUS RÉGLÉ VOS COMPTES AVEC LE PASSÉ : TEST

1. Les souvenirs d'enfance :

☐ a - vous ne vous rappelez rien, ou presque rien,
☐ b - si on les évoque devant vous, ils peuvent vous revenir en mémoire,
☐ c - vous êtes souvent submergé par des souvenirs bouleversants,
☐ d - vos souvenirs affluent si vous vous retrouvez sur les lieux de votre enfance.

2. Certaines phrases qui vous ont blessé sont-elles :

☐ a - gravées au fer rouge dans votre mémoire,
☐ b - vous reviennent quand sonne le moment de la vengeance,
☐ c - seules une ou deux offenses vous ont marqué,
☐ d - vous ne gardez jamais rancune.

3. Avez-vous souvent des idées fixes axées sur de petits détails ?

☐ a - cela peut vous arriver,
☐ b - oui, souvent,
☐ c - non, jamais,
☐ d - uniquement quand vous êtes déprimé.

4. Avez-vous souvent l'impression que le présent vous échappe ?

☐ a - non,
☐ b - oui,
☐ c - parfois,
☐ d - cette question ne vous concerne pas.

5. Dans vos tiroirs :

☐ a - il y a quelques souvenirs, objets, photos,
☐ b - vous rangez régulièrement pour ne pas vous laisser envahir,
☐ c - il y a des quantités de souvenirs,
☐ d - il n'y a pratiquement rien.

6. Quelqu'un vous a fait du tort :

☐ a - vous préférez oublier,
☐ b - vous lui en voulez pendant très longtemps,
☐ c - vous lui en voulez s'il s'agit d'un tort très grave,
☐ d - vous vous efforcez de ne pas lui en vouloir car la rancune est un sentiment pénible à éprouver.

7. Pouvez-vous citer ici-même toutes les personnes qui ont eu un comportement désagréable avec vous ?

☐ a - oui, quelques-unes,
☐ b - oui, très facilement,
☐ c - non, vous avez oublié depuis longtemps,
☐ d - cela nécessite un gros effort de mémoire.

8. Êtes-vous enclin à évoquer souvent le passé ?

☐ a - oui, très souvent,
☐ b - par moments, pour en tirer force d'exemple,
☐ c - très rarement, vous préférez l'avenir,
☐ d - non et les gens qui le font vous exaspèrent.

9. Avez-vous le sens de la tradition ?

☐ a - oui, beaucoup,
☐ b - oui, assez,
☐ c - pour certaines choses précises,
☐ d - pas du tout.

10. Avez-vous l'impression d'être beaucoup plus vieux que vous ne l'êtes en réalité ?

☐ a - oui,
☐ b - non,
☐ c - de temps en temps,
☐ d - cette question ne vous concerne pas.

Stop. Maintenant calculez vos résultats dans les colonnes suivantes :

	I	II	III	IV
1	c	d	b	a
2	a	b	c	d
3	b	a	d	c
4	b	c	a	d
5	c	a	b	d
6	b	c	a	d
7	b	a	d	c
8	a	b	c	d
9	a	b	c	d
10	a	c	b	d

VOS RÉSULTATS

Si vous avez obtenu un maximum de réponses dans la colonne I :

Vous êtes très axé sur le passé. C'est même lui qui l'emporte sur le présent dans votre appréciation de la réalité. Très émotif, vous réagissez vivement à tous les souvenirs qui peuvent surgir en vous. Et cela vous arrive souvent. La petite Madeleine de Proust, ça vous connaît. Vous avez une mémoire d'éléphant, vous vous souvenez de tout, et dans les moindres détails. Capacité qui pourrait faire de vous un bon écrivain. De la même façon, vous pardonnez difficilement à quelqu'un qui vous a blessé. Pas par méchanceté, mais parce que vous enregistrez tout dans votre mémoire.

Si vous avez obtenu un maximum de réponses dans la colonne II :

Le passé, vous vous en souvenez encore très bien. Il compte pour beaucoup dans votre présent. Souvenirs, sentiments, attachements d'antan, tout y passe. Vous êtes tellement sensible que la moindre chose vous marque. C'est pourquoi, quand on vous a offensé, vous pouvez ruminer pendant des mois ou des années. Rumination qui ne sert à rien, d'ailleurs, qu'à vous miner le moral. Mais c'est plus fort que vous : vous ne pouvez pas oublier. Vous devriez quand même vivre plus au présent. Cela vous permettrait d'être plus optimiste, et surtout de considérer l'avenir avec plus de sérénité.

Si vous avez obtenu un maximum de réponses dans la colonne III :

Difficile de définir chez vous comment vous vous situez par rapport au passé... Parce que vous vivez les choses au jour le jour. Votre caractère fantasque vous mène au gré des impressions. Un jour complètement plongé dans vos souvenirs, et le lendemain entièrement tourné vers l'avenir. On ne peut pas dire que vous ayez réglé vos comptes avec le passé, vous n'y aviez pas de comptes ! Vous flottez indifféremment entre passé, présent et avenir... Et c'est d'ailleurs cette faculté qui vous rend très créatif.

Si vous avez obtenu un maximum de réponses dans la colonne IV :

Vous, c'est plutôt l'avenir qui vous passionne. Le passé vous apparaît comme loin derrière vous. Sauf peut-être en ce qui concerne quelques souvenirs d'enfance qui sont restés gravés dans votre mémoire. Vous aimez les évoquer de temps en temps, vous y trouvez une poésie qui vous enchante. Mais à part cela, vous passez le plus clair de votre temps à échafauder des projets d'avenir. Ennemi de la tradition, vous tenez beaucoup à vivre avec votre époque. L'avant-garde vous intéresse, les nouveautés agissent comme un stimulant sur vous.

Vous avez maintenant tous les éléments pour vivre le présent en harmonie avec vos racines pour un avenir meilleur.

Être conscient de l'énorme potentiel que vous donne votre passé et dire avec optimisme : « La vie est une chose merveilleuse et elle commence demain » n'est-ce pas déjà faire un immense pas vers la réussite ?

5. QUE DIT-ON DANS VOTRE DOS ?

Nous avons tous envie de savoir ce que les autres disent de nous dès que nous avons le dos tourné. La manière dont nous sommes perçus ne doit pas nous laisser franchement indifférents, avouons-le, même si nous affichons une attitude contraire !

Et les autres, comment nous perçoivent-ils ? C'est à travers toutes nos petites phrases quotidiennes, répétitives, machinales, que nous nous révélons. Dans ces tics de langage, qui souvent nous échappent, nous levons notre garde. Nous nous livrons.

Avec ce test, il vous est demandé de repérer vos propres phrases, vos propres « gimmicks ». Le but n'est pas de vous faire découvrir qui vous êtes, mais comment vous apparaissez quand la petite phrase qui vous vient aux lèvres sort avant que vous ayez eu le temps de la retenir.

Vous conviendrez sans doute, après avoir répondu aux questions, que nos paroles ne sont pas toujours le reflet de nos opinions, et, surtout, que les autres perçoivent le plus souvent autre chose que ce que nous croyons vouloir dire. Faites le test, demandez-leur si le résultat est vrai, et c'est leur franchise que vous testerez à votre tour ! A vos petites phrases...

5 - QUE DIT-ON DANS VOTRE DOS ? TEST

1. Parmi ces quatre phrases, celle que vous auriez tendance à prononcer le plus souvent serait :

- ☐ a - loin des yeux, loin du cœur,
- ☐ b - ce n'est pas de ma faute,
- ☐ c - restons calme,
- ☐ d - tant pis pour ceux qui ne suivent pas.

2. On vous fait une révélation indiscrète, vous dites d'entrée de jeu :

- ☐ a - et alors ?
- ☐ b - je le savais déjà !
- ☐ c - pourquoi me racontez-vous ça ?
- ☐ d - attendons de voir.

3. Vos collègues sont regroupés, en train de rire, vous lancez :

- ☐ a - c'est de moi que vous parlez ?
- ☐ b - je veux rire, moi aussi !
- ☐ c - c'est d'untel que vous parlez, j'en suis sûr,
- ☐ d - de quoi s'agit-il ?

4. Un léger accident du travail se produit, et aussitôt, vous clamez :

- ☐ a - j'ai horreur du sang !
- ☐ b - je connais un bon médecin,
- ☐ c - je suis débordé,
- ☐ d - faites-voir ça.

5. Vous recevez une communication personnelle qui vous embête, votre réaction :

- ☐ a - un grognement,
- ☐ b - vous maugréez,
- ☐ c - un sourire sibyllin,
- ☐ d - une grimace.

6. Vous attendez une réponse, et le téléphone sonne, vous dites :

- ☐ a - enfin !
- ☐ b - j'espère que c'est ce que j'attends,
- ☐ c - bon, on va être fixé,
- ☐ d - ce n'est pas trop tôt !

7. On vous dérange au beau milieu d'un travail, vous levez la tête et dites :

- ☐ a - zut !
- ☐ b - oui ?
- ☐ c - que se passe-t-il ?
- ☐ d - c'est gentil de venir m'aider.

8. On vous apprend une promotion inattendue, mais qui n'est pas la vôtre et qui de plus vous contrarie, aussitôt vous réagissez :

- ☐ a - encore une histoire de sexe !
- ☐ b - pourquoi pas ?
- ☐ c - je suis content pour lui (elle),
- ☐ d - c'est surprenant.

9. On vous pose une question politique :

- ☐ a - je ne fais pas de politique,
- ☐ b - je ne suis pas de votre avis,
- ☐ c - la politique, c'est nul,
- ☐ d - je suis très bien informé.

10. On vous pose une question personnelle :

- ☐ a - ça ne vous regarde pas,
- ☐ b - il n'y a rien à dire de ma vie,
- ☐ c - oui, je dois avouer...
- ☐ d - ah, vous me comprenez !

Stop. Maintenant calculez vos résultats dans les colonnes suivantes :

	I	II	III	IV
1	d	b	a	c
2	a	c	b	d
3	b	a	c	d
4	d	a	c	b
5	d	a	b	c
6	a	d	b	c
7	c	a	d	b
8	d	a	c	b
9	b	c	d	a
10	b	a	d	c

VOS RÉSULTATS

Si vous avez obtenu un maximum de réponses dans la colonne I :

Autoritaire, sûr de vous, c'est ainsi que vous apparaissez. Vous n'avez pas peur d'affronter les problèmes, vous les regardez en face. C'est en tout cas ce qui émane de vous au travers de ces réponses. Vous forcez le respect. Peut-être même suscitez-vous de l'admiration. On vous reconnaît une position naturelle de leader, on fait facilement appel à vous si une situation inattendue doit venir troubler la vie du groupe. Alors, ou bien vous êtes peu émotif, ou bien, vous maîtrisez admirablement votre émotivité.

Vous n'avez aucun souci à vous faire sur l'image que les autres ont de vous. Le seul problème que vous risquez d'avoir, c'est de vous trouver avec quelqu'un de votre trempe dans la même équipe, car il pourrait mettre en cause cette assise que vous avez acquise, et qui pour tous les autres va de soi.

Si vous avez obtenu un maximum de réponses dans la colonne II :

Vous êtes difficile, un peu frustré, revendicatif, parfois. On peut aussi vous trouver hypersensible. Vous devez le savoir : vous avez des problèmes de communication, et ils se remarquent. Parfois, on vient vers vous, et vous coupez le courant. Vous bloquez toute tentative de rapprochement, parce que vous ne savez pas comment accueillir celui qui fait un pas vers vous. Vous ne relancez pas les dialogues, vous les laissez s'éteindre d'eux-mêmes, et ainsi vous découragez les autres. En avez-vous conscience, ou persistez-vous à penser que ce sont les autres, toujours, qui ne font pas d'effort ? Les « personne ne m'aime », « je n'attends rien de la vie », « pourquoi faire un effort », ne seront jamais des clefs pour vous ouvrir les portes de la moindre réussite. A moins que vous ayez choisi la carrière d'ermite...

Si vous avez obtenu un maximum de réponses dans la colonne III :

On vous croit opportuniste. Est-ce une attitude pour vous protéger ? Sans doute. Mais c'est ainsi, en tout cas, que les autres vous voient. Vous avez toujours l'air de profiter des situations, de tirer la couverture à vous, et d'en extraire des avantages. Et en plus, vous êtes rapide. On vous considère comme un calculateur, et si vous voyez vos collègues vous éviter, c'est parce que vous inspirez un peu de méfiance.

En fait, vous êtes peut-être, tout simplement, un anxieux qui se donne des airs. Ou encore quelqu'un qui triche un peu, qui veut faire croire que rien ne l'atteint, qui joue à vivre au second degré tout le temps. Méfiez-vous tout de même. Les autres n'apprécient pas toujours les personnes qui se suffisent à elles mêmes. Il n'est pas toujours bon de n'avoir aucune faiblesse. Vous gagneriez à abaisser légèrement vos défenses.

Si vous avez obtenu un maximum de réponses dans la colonne IV :

Quel flegme, quel calme ! Vous êtes le collègue « idéal », qui ne s'emporte pas et qui sait écouter. Rien ne vous abat. Votre sang-froid surprend souvent. Votre discrétion, aussi. Un peu mystérieux, vous savez intriguer. On dit de vous que vous avez une mentalité d'éminence grise, de conseiller occulte. Et ce n'est sûrement pas faux. Reste à savoir si c'est de cela que vous avez envie. Vous avez une sorte de force tranquille qui n'est pas celle d'une personne d'autorité, mais d'un être de réflexion avant tout. Chacun pense que vous êtes, très probablement, un individualiste, avec peut-être une vie cachée, protégée sous un certain sourire. Votre image vous donne la latitude de faire un peu ce que vous voulez, mais sachez que si vous n'y mettez pas du vôtre, vous encourez le risque d'être un peu exclu du groupe ou de l'équipe. C'est à vous d'en décider.

TESTS-EXPRESS

TESTS-EXPRESS

Vous avez pris conscience de vos caractéristiques principales.

Mais que se passe-t-il donc ? Vous en redemandez ? Vous voilà devenu insatiable sur vous-même ! Vous ne voulez pas plus fermer ce livre que les mélomanes n'acceptent de quitter la salle sans un rappel.

Merci. Merci infiniment.

Nous vous proposons donc une série de TESTS-EXPRESS à faire seul, à deux ou en groupe, au bureau, à l'usine ou à la maison. Ils vous confirmeront dans vos découvertes en ajoutant quelques précisions.

TEST-EXPRESS

Voulez-vous tester votre capacité de visualisation et de concentration ? Regardez les figures ci-dessous pendant environ 8 secondes. Fermez le livre. Avec un papier et un crayon, reproduisez le plus exactement possible ce que vous venez de voir.

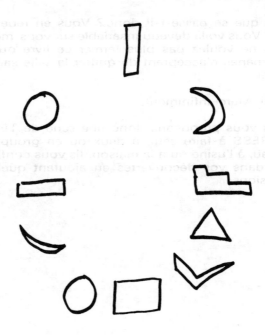

RÉSULTATS

Vous avez reproduit les dix figures sans vous tromper :

C'est inouï ! Vous avez un don de visualisation exceptionnel.

Vous avez reproduit entre 6 et 9 figures sans vous tromper :

Vous avez une très bonne capacité de concentration et de visualisation.

Vous avez reproduit entre 3 et 6 figures sans vous tromper :

Votre capacité de visualisation est moyenne, car vous manquez un peu de concentration.

Vous avez reproduit moins de 3 figures sans vous tromper :

Recommencez ! Vous n'étiez pas du tout concentré.

TEST-EXPRESS « MYSTÈRE »

C'est en regardant les résultats de ce test que vous saurez le sujet dont il traite...

Regardez d'abord pendant environ 20 secondes les figures suivantes :

Maintenant, répondez aux questions suivantes :

1. Quelle a été votre première impression en regardant ces figures ?

- ☐ a - leur abondance vous a découragé,
- ☐ b - vous les avez regardées avec plaisir,
- ☐ c - vous les avez comptées.

2. Quel mot conviendrait selon vous pour définir ces figures ?

- ☐ a - désordre,
- ☐ b - géométrie,
- ☐ c - multiplicité.

3. Que préféreriez-vous faire avec ces figures ?

- ☐ a - les mélanger,
- ☐ b - les regarder longtemps,
- ☐ c - les classer.

RÉSULTATS

Ce test mystère portait sur votre sens de l'ordre.
Voici les résultats :

Si vous avez obtenu un maximum de a :

Vous aimez la fantaisie et n'attachez pas beaucoup d'importance à l'ordre. On vous juge assez fouillis, vous n'en avez cure. Ce qui compte, pour vous, c'est l'inspiration du moment. Le désordre ne vous gêne pas, il vous stimule.

Si vous avez obtenu un maximum de b :

Vous voulez toujours clarifier les idées obscures et les situations compliquées. Champion de l'organisation, vous trouvez toujours une solution à tout. Dès que vous voyez du désordre ou de la confusion, vous tentez de l'ordonner.

Si vous avez obtenu un maximum de c :

Très équilibré, vous n'êtes effrayé ni par le désordre ni par l'ordre. Vous trouvez toujours une harmonie qui vous satisfait et vous ne vous laissez jamais déborder par la confusion ou le désordre.

Si vos réponses sont réparties à égalité entre a, b et c.

Pour vous, les notions d'ordre ou de désordre n'ont pas la priorité. Votre premier critère pourrait bien être l'esthétique à moins que vous ne cédiez surtout à votre paresse.

TEST-EXPRESS

Devant un problème à résoudre, comment réagissez-vous ? Par l'analyse immédiate des données, ou par l'intuition ? Découvrez votre mode de fonctionnement avec ce test.

Regardez rapidement les deux figures ci-dessous. Notez mentalement laquelle vous attire. Maintenant, la règle du jeu vous indique de les classer, sans réfléchir. Dans quel ordre les mettez-vous ?

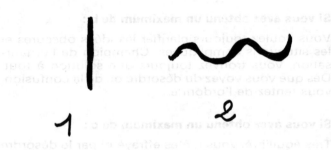

RÉSULTATS

Vous avez été attiré par la figure 1 :

Pour vous, c'est l'analyse et la logique qui priment dans l'appréhension d'une situation ou d'un problème. Votre mental est bien construit et vous êtes très rationnel.

Vous avez été attiré par la figure 2 :

Pour vous, c'est l'intuition qui prime dans l'appréhension d'une situation ou d'un problème. Très sensible, vous fonctionnez selon des données irrationnelles et vous tenez compte de votre inspiration du moment.

Vous avez été attiré par la figure 1, et vous avez classé les figures dans l'ordre 2, 1 :

Vous êtes logique et rationnel, mais vous avez tendance à laisser une part à votre intuition quand vous en avez envie. Cela vous évite de vous rigidifier dans un système.

Vous avez été attiré par la figure 1 et vous avez classé les figures dans l'ordre 1, 2 :

Vous tenez à votre système logique, et vous vous laissez rarement détourner de votre premier mouvement. Vous êtes très cohérent.

Vous avez été attiré par la figure 2 et vous avez classé les figures dans l'ordre 1, 2 :

Vous êtes très intuitif et vous le savez. Mais vous avez parfois tendance à ne pas vous fier complète-ment à votre intuition. Vous vous efforcez d'être en équilibre avec votre sens logique et votre sensibilité.

Vous avez été attiré par la figure 2 et avez classé les figures dans l'ordre 2, 1 :

Vous savez écouter votre sensibilité et, bien que la logique ne vous fasse pas défaut, vous suivez allègrement votre premier mouvement.

TEST-EXPRESS

Comment vous sentez-vous exactement, ici et maintenant ? Ce test va vous aider à déterminer quelle est, dans le présent immédiat, votre émotion de base.

Choisissez sans réfléchir l'une des cinq figures suivantes :

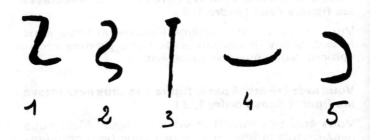

RÉSULTATS

Vous avez choisi la figure 1 :

Votre émotion actuelle de base est la colère.
Colère rentrée, agressivité non formulée ? Un mécontentement gronde en sourdine...

Votre objectif : n'hésitez pas à piquer une bonne colère. Cela aura le mérite d'assainir l'atmosphère et de vous permettre de considérer la situation avec un œil neuf.

Vous avez choisi la figure 2 :

Votre émotion actuelle de base est la frayeur.
Vous ne vous sentez peut-être pas vraiment en sécurité, ou bien quelque chose vous tracasse qui vous fait peur.

Votre objectif : analysez bien la situation point par point. La logique permet de dédramatiser et d'oublier les craintes.

Vous avez choisi la figure 3 :

Votre émotion actuelle de base est la tristesse.
Un vieux chagrin stagne en vous, ou bien vous êtes sujet à une nostalgie diffuse.

Votre objectif : en rire. L'humour est l'état le plus proche du désespoir... et au fond, ce n'est pas si terrible, quand on y pense !

Vous avez choisi la figure 4 :

Votre émotion actuelle de base est l'ennui.
D'où vous vient cette impression de « à quoi bon » ?
Lassitude, monotonie, tout vous semble terne.

Votre objectif : trouvez tous les stimulants possibles pour éveiller votre intérêt. Il doit y en avoir... Il suffit d'y penser...

Si vous avez choisi la figure 5 :

Votre émotion actuelle de base est la joie.
Oui, toutes les émotions ne sont pas forcément pénibles !
Vous êtes content, en forme, pas de problèmes...

Votre objectif : que ça dure, bien sûr !

TEST-EXPRESS

Imaginez que vous vous promenez seul en forêt. Vous voyez soudain une maison en ruines devant vous. Quelle est votre réaction ?

- ☐ a - angoissé, vous vous éloignez très vite,
- ☐ b - ravi de votre découverte, vous explorez cette ruine,
- ☐ c - perplexe, vous la considérez sans y entrer.

RÉSULTATS

Si vous répondez a :

Le monde des rêves a tendance à vous angoisser. Vous êtes sujet aux cauchemars, peut-être même aux rêves prémonitoires. Votre imagination est très forte, mais vous vous en méfiez car elle vous déborde parfois.

Si vous répondez b :

Vous êtes très attiré par tout ce qui est imaginaire. Vous puisez votre créativité dans vos rêves ou vos rêveries éveillées. Tout ce qui est artistique vous concerne, vous pourriez cultiver vos dons créateurs.

Si vous répondez c :

Doté d'un esprit logique, vous n'appréciez pas beaucoup l'irrationnel. Vous pensez que tout peut être expliqué et analysé. Quand vous rêvez, vous n'y attachez pas d'importance. Chez vous, c'est le rationnel qui prime.

TEST-EXPRESS

Vous adaptez-vous facilement aux événements imprévus ?
C'est ce que vous allez savoir avec ce test-express.

Regardez la figure 1 :

Regardez maintenant les quatre figures suivantes :

Avec laquelle de ces 4 figures mariez-vous spontanément la figure 1 ?

RÉSULTATS

Vous avez choisi 1, 2 :

Il vous faut du temps pour vous adapter aux événements. L'imprévu vous perturbe, vous avez du mal à le gérer.

Votre objectif : prenez le temps de considérer les choses une par une, avec ordre. Vous gérerez mieux les impondérables.

Vous avez choisi 1, 3 :

Vous ne raffolez pas de l'imprévu, mais quand il arrive, vous vous efforcez de faire face. Malgré tout, cela provoque chez vous un sentiment d'insécurité.

Votre objectif : faites preuve d'efficacité, sans vous mettre martel en tête. Et persuadez-vous que vous êtes parfaitement capable d'assumer.

Vous avez choisi 1, 4 :

Vous vous adaptez sans problème aux situations imprévues.
Votre sang-froid est légendaire et vous gérez remarquablement les événements.

Votre objectif : votre impassibilité est le signe que vous « prenez sur vous » pour assumer.
C'est bien, surtout si vous savez aussi vous détendre quand il le faut.

Vous avez choisi 1, 5 :

Vous adorez l'imprévu. C'est ce qui vous stimule le plus. Vous recherchez les situations périlleuses, qui rompent la monotonie.

Votre objectif : un peu plus de méthode ne nuirait pas. Votre goût du risque peut vous mener à devenir trop brouillon.

TEST-EXPRESS

Avez-vous confiance en vous ?
C'est ce que vous allez savoir avec ce test-express.

Regardez la figure 1 :

Regardez maintenant les trois figures suivantes :

Avec laquelle de ces figures mariez-vous spontanément la figure 1 ?

RÉSULTATS

Vous avez choisi 1, 2 :

Vous avez confiance en vous dans l'ensemble. Vous
vous sentez en sécurité avec vous-même et, du
même coup, avec les autres. Les difficultés ne vous
effraient pas outre mesure, et vous savez donner à
votre entourage une impression de sécurité.

Vous avez choisi 1, 3 :

Selon les circonstances, vous avez confiance en vous ou non. C'est une question d'état d'âme, chez vous. Si vous êtes trop ému, vous devenez plus fragile, et votre confiance a alors tendance à disparaître.

Vous avez choisi 1, 4 :

Vous manquez de confiance en vous, car vous avez facilement des craintes ou des idées noires. Votre tendance est d'être plutôt assez pessimiste, ce qui vous empêche de vous sentir en sécurité. Prenez la vie du bon côté, s'il vous plaît !

TEST-EXPRESS

Savez-vous exprimer vos émotions, vos impressions, vos sentiments ? Ce test-express va vous permettre de le savoir.

Regardez la figure 1 :

Regardez maintenant les trois carrés de couleur suivants :

noir   gris   blanc

Avec lequel de ces 3 carrés mariez-vous spontanément la figure 1 ?

RÉSULTATS

Vous avez marié la figure 1 avec le noir :

Vous êtes émotif, il vous arrive souvent d'avoir la gorge serrée par trop d'émotion. Mais vous ne l'exprimez pas toujours, car cela vous effraie un peu. Vous exprimez mieux vos sentiments moins immédiats, dans lesquels vous vous sentez plus à l'aise.

Vous avez marié la figure 1 avec le gris :

Plutôt flegmatique, vous vous exprimez avec aisance. Vous aimez bien manier la parole et décrire vos impressions. Mais vous répugnez à parler trop longuement de vos sentiments ou de vos émotions, car vous êtes très pudique.

Vous avez marié la figure 1 avec le blanc :

Vous vous exprimez tout en finesse et avec beaucoup de diplomatie. Votre force réside dans votre habileté à faire passer vos idées sans heurter personne. Vous percevez et exprimez des sentiments et des émotions très subtils, ce qui vous donne beaucoup de persuasion.

TEST-EXPRESS

Optimiste... ou pessimiste ? Découvrez-le avec ce test-express en deux parties.

Regardez les trois figures suivantes :

Choisissez celle qui vous attire spontanément.

RÉSULTATS

Vous avez choisi la figure 1 :

Vous avez tendance à tourner les difficultés pour les transformer de manière positive. Vous fondez votre optimisme sur l'espoir, car vous pensez que tout, toujours, peut s'arranger.

Vous avez choisi la figure 2 :

Vous vous minez facilement, un rien vous effondre. Mais vous vous efforcez de faire contre mauvaise fortune bon cœur. Vous préférez oublier que vous êtes plutôt pessimiste, car l'expérience vous a prouvé que vous gagnez par l'optimisme.

Vous avez choisi la figure 3 :

Vous comptez beaucoup sur la chance, c'est ce qui vous rend optimiste. Vous préférez ne pas penser aux catastrophes qui pourraient arriver, et votre devise pourrait être : « On verra bien ».

TEST-EXPRESS

Avec le test de la page 151, vous avez vu si vous étiez plutôt optimiste ou plutôt pessimiste. Découvrez maintenant comment vous réagissez par rapport au pessimisme des autres.

Parmi ces trois figures, laquelle rejetez-vous spontanément ?

RÉSULTATS

Vous avez rejeté la figure 1 :

Vous avez beaucoup de mal à supporter les gens pessimistes. Ils vous paraissent très négatifs et ils vous sapent le moral. Vous les rejetez en bloc... peut-être par crainte qu'ils ne déteignent sur vous !

Vous avez rejeté la figure 2 :

Le pessimisme des autres vous impressionne considérablement, mais vous préférez en tirer parti. Vous pensez qu'il y a toujours quelque chose à glaner dans les avis différents ou contraires, et vous écoutez toujours plusieurs sons de cloche avant de décider.

Vous avez rejeté la figure 3 :

Les gens pessimistes vous attendrissent au début...
et vous lassent à la fin. Votre premier mouvement
est de leur ôter leurs idées noires, car vous êtes très
altruiste. Si vos exhortations ne marchent pas, vous
vous fatiguez et les envoyez au diable... en douceur
mais avec fermeté.

TABLE DES MATIÈRES

AVANT-PROPOS...................................... 5

PREMIÈRE PARTIE :
DÉTERMINEZ VOTRE FONCTIONNEMENT
INTÉRIEUR... 11

1. VOTRE FORME D'INTELLIGENCE......... 15

Votre réflexion face à l'instinct............... 16
Votre forme de curiosité intellectuelle...... 21
Comment vous exprimez-vous ?............ 25
Votre créativité.................................... 29

2. DÉCOUVREZ VOTRE ÉLÉMENT
   DE PRÉDILECTION............................. 33

3. VOTRE DIAGNOSTIC MENTAL............. 39

4. VOTRE TYPE DE SEXUALITÉ............... 47

DEUXIÈME PARTIE :
VOTRE EGO.. 53

1. COMMENT VA VOTRE EGO................. 57

2. SAVEZ-VOUS GARDER LA FORME....... 63

3. ÊTES-VOUS DYNAMIQUE..................... 69

4. ÊTES-VOUS ORGANISÉ....................... 76

5. MAÎTRISEZ-VOUS VOS ÉMOTIONS...... 79

6. AVEZ-VOUS LE SENS DE LA RÉPARTIE 84

7. ÊTES-VOUS POSSESSIF...................... 90

TROISIÈME PARTIE :
VOUS ET LES AUTRES............................. 97

1. ÊTES-VOUS UN LEADER..................... 101

2. SAVEZ-VOUS VOUS PASSER DES
   AUTRES.. 107

3. ÊTES-VOUS UN PARFAIT GOUJAT...... 113

4. SAVEZ-VOUS COMMUNIQUER........... 119

5. CHOIX DE VIE, CHOIX DE CARRIÈRE... 124

QUATRIÈME PARTIE :
L'ENFANT QUI EST EN VOUS..................... 131

1. ÊTES-VOUS CURIEUX......................... 135

2. ÊTES-VOUS UN FILS À MAMAN.......... 141

3. ÊTES-VOUS NARCISSIQUE................. 147

4. AVEZ-VOUS RÉGLÉ VOS COMPTES
   AVEC LE PASSÉ................................... 153

5. QUE DIT-ON DANS VOTRE DOS.......... 159

TESTS-EXPRESS............................... 167 à 189

Achevé d'imprimer en février 1989
Dépôt légal : avril 1989
Imprimé par Ouest Impressions OBERTHUR
Photocomposition : PFC Dole